CE2

Français

Évelyne Barge

Professeure des écoles

Écris ton prénom.

....

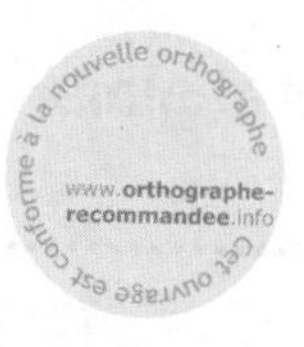

PRÉSENTATION

Ce cahier de **français** accompagnera votre enfant tout au long de son année de **CE2**, pour l'aider à consolider ses acquis et à s'entrainer.

Il reprend toutes les notions du **programme scolaire**, en **GRAMMAIRE**, **ORTHOGRAPHE**, **VOCABULAIRE** et **CONJUGAISON**.

Leçon visuelle accompagnée d'exemples concrets pour mémoriser l'essentiel.

Exercices progressifs classés en 3 niveaux de difficulté pour s'entrainer sur la notion de la leçon.

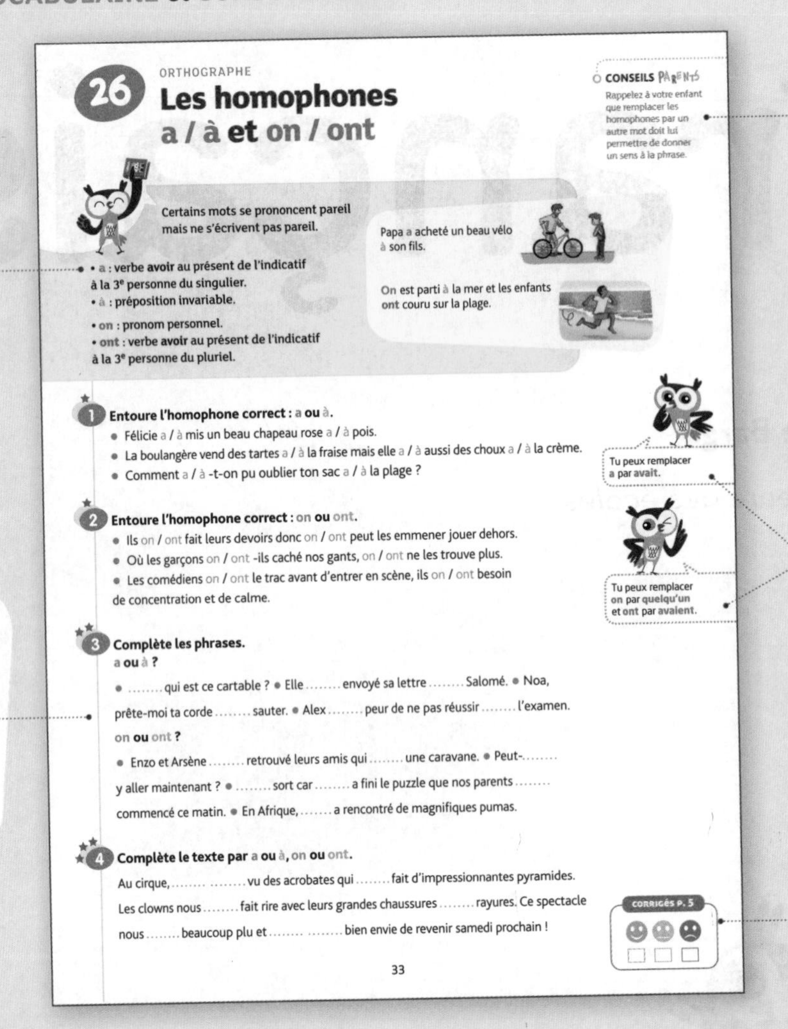

ORTHOGRAPHE

26 Les homophones a / à et on / ont

CONSEILS PARENTS
Rappelez à votre enfant que remplacer les homophones par un autre mot doit lui permettre de donner un sens à la phrase.

Certains mots se prononcent pareil mais ne s'écrivent pas pareil.

- a : verbe **avoir** au présent de l'indicatif à la 3e personne du singulier.
- à : préposition invariable.
- on : pronom personnel.
- ont : verbe **avoir** au présent de l'indicatif à la 3e personne du pluriel.

Papa a acheté un beau vélo à son fils.

On est parti à la mer et les enfants ont couru sur la plage.

1 Entoure l'homophone correct : a ou à.
- Félicie a / à mis un beau chapeau rose a / à pois.
- La boulangère vend des tartes a / à la fraise mais elle a / à aussi des choux a / à la crème.
- Comment a / à -t-on pu oublier ton sac a / à la plage ?

Tu peux remplacer a par avait.

2 Entoure l'homophone correct : on ou ont.
- Ils on / ont fait leurs devoirs donc on / ont peut les emmener jouer dehors.
- Où les garçons on / ont -ils caché nos gants, on / ont ne les trouve plus.
- Les comédiens on / ont le trac avant d'entrer en scène, ils on / ont besoin de concentration et de calme.

Tu peux remplacer on par quelqu'un et ont par avaient.

3 Complète les phrases.

a ou à ?
- .... qui est ce cartable ? • Elle .... envoyé sa lettre .... Salomé. • Noa, prête-moi ta corde .... sauter. • Alex .... peur de ne pas réussir .... l'examen.

on ou ont ?
- Enzo et Arsène .... retrouvé leurs amis qui .... une caravane. • Peut-........ y aller maintenant ? • .... sort car .... a fini le puzzle que nos parents .... commencé ce matin. • En Afrique, ... a rencontré de magnifiques pumas.

4 Complète le texte par a ou à, on ou ont.

Au cirque, ... vu des acrobates qui .... fait d'impressionnantes pyramides. Les clowns nous .... fait rire avec leurs grandes chaussures .... rayures. Ce spectacle nous .... beaucoup plu et .... bien envie de revenir samedi prochain !

CORRIGÉS P. 5

33

Information ou **conseil pratique** donné aux parents pour les aider à accompagner leur enfant dans ses révisions.

Astuce ou **conseil** pour aider l'enfant à résoudre l'exercice.

Corrigés détachables au centre du cahier et **évaluation** des résultats par l'enfant (à reporter dans le **Sommaire** ci-contre).

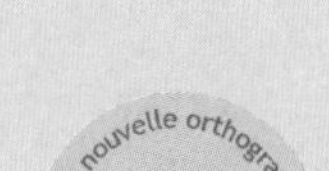

Dans ce cahier, certains mots sont écrits selon les prérogatives du ministère de l'Education nationale, recommandant d'appliquer la **nouvelle orthographe**. Par exemple, le mot « goûter » s'écrit « gouter » ou encore le mot composé « des après-midi » s'écrit « des après-midis ».

+ un accès gratuit au SITE www.hatier-entrainement.com

POUR S'ENTRAINER DAVANTAGE...
- Des **dictées** audio
- Des exercices interactifs en **français**, **maths** et **anglais**
- Des podcasts en **anglais**

> Flashez ce QRco[de] pour accéder directement au si[te]

SOMMAIRE

Reporte la date à laquelle tu as fini chaque page d'exercices et coche la case 🙂 😐 🙁 qui correspond à ton résultat.

GRAMMAIRE

VOCABULAIRE

ORTHOGRAPHE

CONJUGAISON

Test

Pour commencer…

Réponds à ces questions
et consulte les résultats page 6.

1 **La girafe maison va doucement.** Est-ce une phrase ?
a) oui b) non

2 Comment se termine une phrase interrogative ?
a) par un point d'interrogation
b) par un point d'exclamation

3 Quelle est la phrase négative ?
a) Arrives-tu à sauter plus haut ?
b) Je n'arrive pas à sauter plus haut.

4 Quel est le nom propre ?
a) la montagne b) le Périgord

5 De quoi est formé le GN (groupe nominal) ?
a) déterminant + nom
b) verbe + nom

6 Comment s'appellent ces signes : **« »** ?
a) des points de suspension
b) des guillemets

7 Quel est le GN au pluriel ?
a) mon enfant roux
b) mes enfants roux

8 Quel déterminant est féminin ?
a) cet b) cette

9 **La jolie maison sur la colline.**
Quel mot est un adjectif ?
a) jolie b) maison c) colline

10 **Les colombes volent.**
Par quel pronom peux-tu remplacer le GN souligné ?
a) ils b) elle c) elles

11 **Le train traverse le tunnel.**
Quel est le sujet de cette phrase ?
a) le train b) le tunnel

12 **Amandine joue du violon.**
Quelle est la nature du sujet de cette phrase ?
a) un pronom personnel
b) un nom propre
c) un GN

13 Quel son faut-il ajouter à la fin du mot **un chirurg……?**
a) ein b) ien

14 Quel est le mot qui s'écrit aves **ss** ?
a) une boi…. on b) un ma…..on

15 Avec quoi compléter le verbe **env….er** ?
a) ay b) oy c) uy

16 Devant quelles lettres le **n** devient-il un **m** ?
a) m, b, p b) n, b, d c) m, d, b

17 Quel son entend-on dans le mot **avocat** ?
a) « s » b) « k »

18 Par quelle(s) lettre(s) débute le mot **une …imauve** ?
a) g b) gu

19 De quel verbe vient le mot **apparition** ?
a) apparaitre b) apercevoir

20 Quel est le féminin de **renard** ?
a) renardeau b) renarde

21 Quel adjectif convient pour : **une souris** ?
a) noir b) noire

22 Quel est le pluriel du GN **un livre épais** ?
a) des livres épais
b) des livres épaisses

23 Lequel de ces deux verbes donne un nom terminé par une lettre muette ?
a) courir b) regarder

24 **...... fait une roulade.**
Quel sujet convient pour compléter cette phrase ?
a) La fillette b) Les enfants

25 Quel mot n'appartient pas au vocabulaire de l'école ?
a) un atlas b) un asticot

26 Le mot **trimestre** fait-il partie du vocabulaire du temps ?
a) oui b) non

27 Le mot **épaule** appartient au vocabulaire du :
a) haut du corps b) bas du corps

28 Combien de voyelles et de consonnes contient l'alphabet ?
a) 6 voyelles et 20 consonnes
b) 4 voyelles et 22 consonnes

29 Qu'indiquent les sigles **n.f.**, **v.**, **adj.** dans le dictionnaire à côté du mot ?
a) sa fonction b) sa classe grammaticale

30 Quel nom générique convient à cette série de mots : **radis, carotte, potiron, poireau** ?
a) des plantes fleuries b) des légumes

31 Comment s'appellent ces mots : **jadis, sous, donc, souvent** ?
a) des mots invariables b) des adjectifs

32 Quelle est la fin de l'expression imagée : **dormir sur ses deux .....** ?
a) pieds b) oreilles

33 Quel est le synonyme de **drôle** ?
a) amusant b) fatigant

34 Quel est le contraire de **perdre** ?
a) égarer b) gagner

35 À partir de quel verbe est formé le mot **livraison** ?
a) libérer b) livrer

36 Le mot **jardinage** est formé grâce au suffixe **-age.**
a) vrai b) faux

37 Quel mot désigne le futur ?
a) aujourd'hui b) demain c) autrefois

38 **Demain nous irons voir la mer.**
Quel est le verbe ?
a) nous b) irons c) demain

39 **Tu as couru.**
Quel est l'infinitif du verbe ?
a) coudre b) courir

40 Quels pronoms peuvent convenir à la forme **chante** ?
a) je - il b) tu - il c) je - tu

41 Quelle est la forme correcte ?
a) vous faisez b) vous faites

42 Quel est l'infinitif de **je vais** ?
a) aller b) venir

43 Comment se terminent les verbes du 1er groupe au futur avec le pronom **je** ?
a) -ai b) -ais

44 Quel est l'infinitif de ce verbe conjugué au futur : **tu seras** ?
a) avoir b) être

45 Quel pronom convient au verbe ..... **feront** ?
a) nous b) ils

46 **J'irai au cinéma**. Transforme cette phrase à l'imparfait.
a) Je vais au cinéma.
b) J'allais au cinéma.

47 Quelle est l'orthographe correcte du verbe **manger** à l'imparfait ?
a) il mangeait
b) il mangait

48 Quelle est l'orthographe correcte du verbe **dire** à l'imparfait ?
a) vous disiez
b) vous disez

Résultats du TEST p. 6.

Résultats du TEST

1. b	❑	13. b	❑	25. b	❑	37. b	❑
2. a	❑	14. a	❑	26. a	❑	38. b	❑
3. b	❑	15. b	❑	27. a	❑	39. b	❑
4. b	❑	16. a	❑	28. a	❑	40. a	❑
5. a	❑	17. b	❑	29. b	❑	41. b	❑
6. b	❑	18. b	❑	30. b	❑	42. a	❑
7. b	❑	19. a	❑	31. a	❑	43. a	❑
8. b	❑	20. b	❑	32. b	❑	44. b	❑
9. a	❑	21. b	❑	33. a	❑	45. b	❑
10. c	❑	22. a	❑	34. b	❑	46. b	❑
11. a	❑	23. b	❑	35. b	❑	47. a	❑
12. b	❑	24. a	❑	36. a	❑	48. a	❑

Si ta réponse est bonne, coche la ca située à côté.

GRAMMAIRE

- **Si tu as entre 10 et 12 bonnes réponses :** Bravo ! Tu es un as en grammaire. Et tu vas apprendre encore plus avec ce cahier.
- **Si tu as entre 6 et 9 bonnes réponses :** C'est bien ! Les exercices de ce cahier vont aussi te permettre de réviser des notions que tu avais peut-être oubliées.
- **Si tu as entre 1 et 5 bonnes réponses :** Lis attentivement les leçons des pages GRAMMAIRE avant de faire les exercices qui suivent.

ORTHOGRAPHE

- **Si tu as entre 10 et 12 bonnes réponses :** Bravo ! Tu es un as en orthographe. Et tu vas apprendre encore plus avec ce cahier.
- **Si tu as entre 6 et 9 bonnes réponses :** C'est bien ! Les exercices de ce cahier vont aussi te permettre de réviser des notions que tu avais peut-être oubliées.
- **Si tu as entre 1 et 5 bonnes réponses :** Lis attentivement les leçons des pages ORTHOGRAPHE avant de faire les exercices qui suivent.

VOCABULAIRE

- **Si tu as entre 10 et 12 bonnes réponses :** Bravo ! Tu es un as en vocabulaire. Et tu vas apprendre encore plus avec ce cahier.
- **Si tu as entre 6 et 9 bonnes réponses :** C'est bien ! Les exercices de ce cahier vont aussi te permettre de réviser des notions que tu avais peut-être oubliées.
- **Si tu as entre 1 et 5 bonnes réponses :** Lis attentivement les leçons des pages VOCABULAIRE avant de faire les exercices qui suivent.

CONJUGAISON

- **Si tu as entre 10 et 12 bonnes réponses :** Bravo ! Tu es un as en conjugaison. Et tu vas apprendre encore plus avec ce cahier.
- **Si tu as entre 6 et 9 bonnes réponses :** C'est bien ! Les exercices de ce cahier vont aussi te permettre de réviser des notions que tu avais peut-être oubliées.
- **Si tu as entre 1 et 5 bonnes réponses :** Lis attentivement les leçons des pages CONJUGAISON avant de faire les exercices qui suivent.

Sur le site **www.hatier-entrainement.com**, tu trouveras d'autres exercices pour t'entrainer.

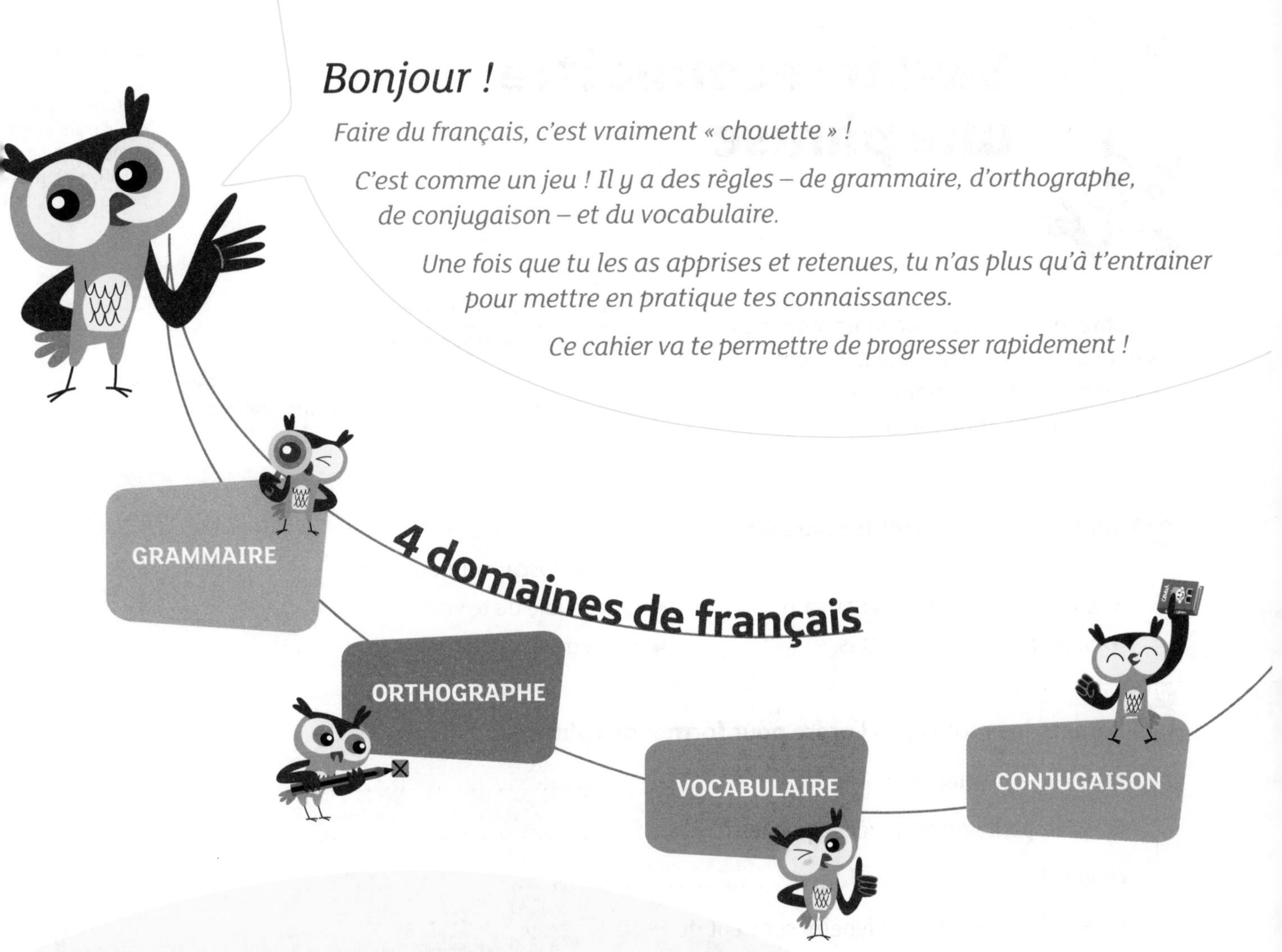

Bonjour !
Faire du français, c'est vraiment « chouette » !
C'est comme un jeu ! Il y a des règles – de grammaire, d'orthographe, de conjugaison – et du vocabulaire.
Une fois que tu les as apprises et retenues, tu n'as plus qu'à t'entrainer pour mettre en pratique tes connaissances.
Ce cahier va te permettre de progresser rapidement !
4 domaines de français
GRAMMAIRE
ORTHOGRAPHE
VOCABULAIRE
CONJUGAISON

Lis attentivement la leçon de l'encadré jaune avant de commencer les exercices de la page.

N'hésite pas à consulter un dictionnaire lorsque tu as un doute sur le sens d'un mot.

➜ Les **exercices** te proposent 3 niveaux de difficulté : ★ facile, ★★ moyen, ★★★ plus difficile. Parfois, la chouette te donne une petite astuce ou un conseil pour t'aider à les faire.

➜ Après avoir regardé le livret des **corrigés**, tu pourras cocher l'une des trois cases situées en bas de chaque page : la case verte si tu as tout bon, la case orange s'il y a 1 ou 2 erreurs et la case rouge s'il y en a davantage. Tu peux ensuite reporter tes résultats sur le **sommaire** de la page 3.

➜ À l'intérieur de la couverture de ton cahier, tu trouveras des mémos **Conjugaison** avec les verbes que tu dois connaitre en CE2. Tu peux les regarder pour faire les exercices autant de fois que nécessaire.

GRAMMAIRE

1 Savoir reconnaitre une phrase

CONSEILS PAR
Lorsque votre enfa
un texte, montrez-
qu'un point marqu
fin de la phrase, ce
signifie un temps
pause dans la lect

La **phrase** se compose de mots ordonnés, séparés par un espace. Elle a un sens, commence par une **majuscule** et se termine par un **point**.

Il faut bien faire la différence entre :

des mots qui se suivent	ET des phrases
petit navire, il était un	Le navire vogue sur l'océan.
jouer va avec vélo ton	Va jouer dehors !

1 Souligne uniquement les phrases.

- La poule est sur le mur.
- La piscine ouverte ce est matin.
- Superbes tu as ces bottes.
- Jules et Oscar vont au cinéma
- Quelle joie de te voir !
- Léo, en classe doit regarde.

2 Remets les mots dans l'ordre pour former des phrases.

Max vélo a un bleu → ....

Où mon pantalon est rayées à poches ? → ....

chaud chocolat le j'aime → ....

Le moineau se poser ma fenêtre sur vient de → ....

Léo, téléphone ton copain au tu appelles → ....

3 Fais des phrases avec ces mots.

Ajoute les **majuscules** et les **points** si besoi

- après – le chat – la souris – court – vite → ....
- Lou – le camion – de Léon – veut → ....
- la glace – la vanille – à – et – j'aime – citron – au → ....
- porte – un bonnet – il – vert – et – jaunes – des chaussettes → ....
- Les assiettes – pose – la table – sur → ....

....

4 Complète le texte avec les mots suivants :

marier • bonheur • roi • filles • moment • elles • prince • savait • indépendante • voulait • fois • indécise • l'autre • chacune.

Il était une .... un .... qui vivait dans un château. Il avait deux .... qu'il voulait .... L'une d'.......... avait déjà choisi son .... mais .... ne .... qui choisir. .... et ...., elle préférait attendre le bon .... Comme le roi .... le .... de ...., il attendit sa décision.

Tu peux d'abord classer les mots (noms, verbes, peti mots) en 3 colonne pour retrouver leur place plus facileme dans le texte. Barre les mots une fois q tu les as placés.

CORRIGÉS P. 2

GRAMMAIRE

2 Les trois types de phrases

CONSEILS PARENTS

Montrez à votre enfant que suivant le type de phrase, le ton utilisé à l'oral est différent : il monte à la fin d'une question, il est ferme voire exclamatif dans une phrase impérative.

Il existe 3 types de phrases :

- la phrase **qui raconte**, **explique** se termine par un point simple .
- la phrase **qui pose une question** se termine par un point d'interrogation ?
- la phrase **qui donne un ordre, un conseil ou une consigne** se termine par un point . ou un point d'exclamation !

- **phrase déclarative**
  → Gabin veut une trottinette verte.
- **phrase interrogative**
  → Vas-tu au laser game cet après-midi ?
- **phrase impérative ou injonctive**
  → Tu devrais manger plus de légumes !

Vas-tu au laser game cet après-midi ?

1 Colorie le point qui convient : ., ? ou !

Où manges-tu demain	.	?	!
Je veux que tu prennes ton blouson	.	?	!
Il a acheté une pizza et des boissons	.	?	!
Quelle heure est-il	.	?	!
Avec mon vélo je vais où je veux	.	?	!

2 Ajoute le point qui convient et précise le type de la phrase.

- Va faire tes devoirs ...... → *phrase* ....
- Quel est ce magnifique château ...... → *phrase* ....
- On a vu un renard dans la forêt ...... → *phrase* ....
- Peux-tu apporter le fromage ...... → *phrase* ....
- Je veux que tu arrêtes de mentir ...... → *phrase* ....

3 Trouve les questions que tu pourrais poser pour obtenir ces réponses.

- Je m'appelle Céleste. → ....
- Oui, j'aime les choux à la crème. → ....
- Il part à Londres. → ....
- Emma et Éthan vont au cinéma. → ....

Rappelle-toi que le pronom personnel est toujours placé après le verbe, derrière le tiret, et n'oublie pas le point d'interrogation.

4 Transforme les phrases affirmatives en phrases impératives.

- Tu fais tes devoirs. → ....
- Jules va jouer dehors. → ....
- Tom prend une douche. → ....

CORRIGÉS P. 2

GRAMMAIRE

3 Les différentes formes de la phrase

○ **CONSEILS PAR**

Rappelez à votre en que dans une **néga** la présence du « **ne** est indispensable, notamment à l'écri même si le langag familier a tendanc à le supprimer.

Chaque type de phrases peut se mettre :

• à la forme **affirmative** pour déclarer, affirmer quelque chose.

• à la forme **négative** pour nier quelque chose ou exprimer le contraire.
On utilise les formes ne...pas, ne ...plus, ne...jamais, ne...personne.

• à la forme **exclamative** pour s'étonner, s'énerver ou se réjouir. Cette forme peut aussi se mettre à la forme négative : Tu n'as pas fait tes devoirs !

	Phrases déclaratives	Phrases interrogatives	Phrases impératives
Forme affirmative	Je mange une glace.	Qui joue au foot ?	Saute dans la piscine !
Forme négative	Je ne mange pas de salade.	Qui ne joue pas au tennis ?	Ne saute pas dans les flaques !

★ **1** **Coche uniquement les phrases affirmatives.**

❑ Je veux aller au concert samedi.
❑ Sors la poubelle s'il te plait !
❑ Ne pars pas sans ta veste !
❑ As-tu vu le clip de ce chanteur de rap ?

★ **2** **Souligne les phrases négatives.**

- Ne crie pas !
- J'aime jouer au ping-pong.
- Je ne veux pas rentrer tout de suite.
- Soan n'ira pas tout seul au stade.
- Chante plus fort !
- Ne vas-tu pas chez le dentiste mercredi ?

★★ **3** **Transforme les phrases affirmatives en phrases négatives. Conserve la forme exclamative si elle y est.**

- J'ai un smartphone tout neuf ! → ....
- Dorian court plus vite que Léo. → ....
- Pourquoi préférez-vous le karaté ? → ....
- Ces lunettes te vont très bien ! → ....

★★ **4** **Avec ces mots, forme une phrase affirmative et une phrase négative qui peuvent être exclamatives ou non.**

- un tigre féroce → ....

....

- un jeu vidéo → ....

....

La négation **ne...pa** peut changer de pl suivant le type de phrase.

CORRIGÉS P. 2

4

GRAMMAIRE

La ponctuation

CONSEILS PARENTS

Lisez deux fois le même texte à votre enfant, l'une sans ponctuation, l'autre avec. Montrez-lui ainsi que c'est elle qui détermine le débit de parole, la respiration mais aussi, de ce fait, la compréhension du texte.

La **ponctuation** est un ensemble de signes qui permet d'organiser le texte en plusieurs phrases et ainsi de lui donner du sens.
Toutes les phrases commencent par une **majuscule** et se terminent par un **point de ponctuation.**

Les signes de ponctuation entre les phrases	Les signes de ponctuation à l'intérieur de la phrase
• le **point** en fin de phrase déclarative → Il fait du vélo. • le **point d'interrogation** à la fin d'une question → Veux-tu un chocolat **?** • le **point d'exclamation** marque la surprise, la colère ou un ordre → Quel temps affreux **!**	• la **virgule** sépare des groupes de mots → Il a un chien**,** un chat et une tortue. • les **deux-points** introduisent une explication et, avec ou sans **guillemets**, une prise de parole → Il demanda **: «** Où étiez-vous cet après-midi ? **»** • les **parenthèses** ajoutent une précision ou un exemple → Il a acheté des fruits **(**des pommes**)**.

1 Complète les cases par le signe de ponctuation qui convient.

- En Italie [/] ils mangent beaucoup de pizza et de pâtes [.]
- Superman dit [<] [<] Je suis le héros des enfants [>] [>]
- Pourquoi ne veux-tu pas jouer avec moi [?]
- Dépêchez-vous [/] le bus arrive [!]

2 Ajoute à chaque phrase les virgules et les points.

- John a acheté du pain, du fromage, des fruits, et un gâteau.
- Quand pars-tu en vacances, à la montagne ?
- Éteins vite la télévision, mets ton pyjama, et va te coucher ,
- Dans cette forêt il y avait plein d'animaux .

Lis les phrases à haute voix, lentement, pour comprendre à quel endroit respirer (la place des virgules) et avec le ton (pour savoir quel point rajouter).

3 Recopie les phrases en ajoutant les majuscules et la ponctuation.

- au zoo j'ai vu des tigres des ours et des pandas

Au zoo j'ai vu des tigres, des ours, et des panda.

- qui vient à la maison samedi soir pour la soirée pyjama

Qui vient a la maison semedi soir pour la soirée pyjama.

- ce matin le maitre dit qui a envie de nous faire un exposé sur Thomas Pesquet

Ce matin le maitre dit qui a envie de nous fair un exposé sur Thomas pesquet.

5 La phrase interrogative

Une phrase **interrogative** sert à poser une question et se termine toujours par un point d'interrogation. À l'oral, on élève la voix à la fin de la phrase. À l'écrit, en langage courant, on ajoute le point d'interrogation à la fin de la phrase : Tu veux une glace **?**

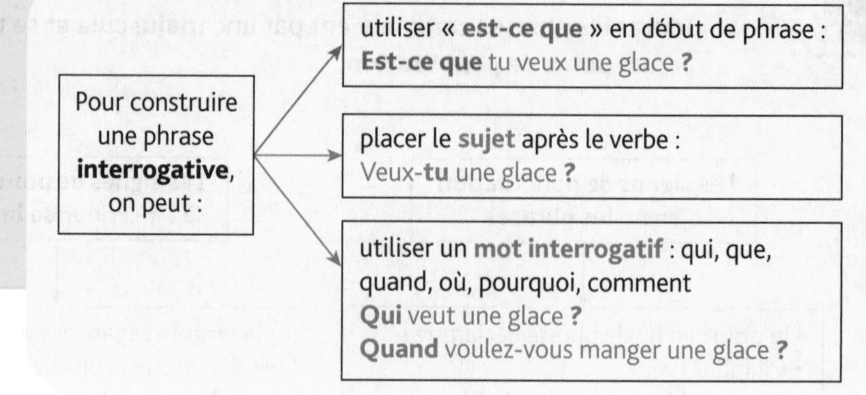

Pour construire une phrase **interrogative**, on peut :
utiliser « **est-ce que** » en début de phrase :
Est-ce que tu veux une glace **?**
placer le **sujet** après le verbe :
Veux-**tu** une glace **?**
utiliser un **mot interrogatif** : qui, que, quand, où, pourquoi, comment
Qui veut une glace **?**
Quand voulez-vous manger une glace **?**

CONSEILS PAR
Faites remarquer à
enfant que dans un
phrase interrogativ
il ne faut pas oubli
tiret entre le verbe
pronom sujet (veux

1 Souligne uniquement les phrases interrogatives.

- Avez-vous pris vos médicaments ?
- Mon chat ne veut pas ses croquettes !
- Est-ce que vous m'entendez ?
- Comment avez-vous trouvé ce film ?
- Le train partira à l'heure sur le quai B.
- Qui part en avion cet été ?

2 Écris des phrases interrogatives en commençant par ces mots interrogatifs.

- Pourquoi ....
- Comment ....
- Combien ....
- Quand ....
- Est-ce que ....

N'oublie pas d'inve
le sujet en le plaça
derrière le verbe.
Pense au tiret entr
le verbe et le prono
sujet.

3 Complète avec les mots interrogatifs corrects.

- .... es-tu si joyeux ?
- .... s'appelle ton frère ?
- .... as-tu invité à ton anniversaire ?
- .... partirez-vous en classe verte ?

4 Transforme chaque phrase déclarative en phrase interrogative. Aide-toi du mot souligné.

- Ma mère connait <u>mon secret</u>. → ....
- Joan part <u>demain</u>. → ....
- Ruben me rejoint <u>en moto</u>. → ....
- Lila et Émilie sont <u>timides</u>. → ....

GRAMMAIRE

6 Les groupes dans la phrase

CONSEILS PARENTS

Dites à votre enfant que la phrase n'est pas qu'une suite de mots, on peut la diviser en groupes qui ont chacun une fonction précise.

Dans la phrase, certains mots sont obligatoires et d'autres sont facultatifs.

- Le **sujet** et le **groupe verbal** sont indispensables, ils ne peuvent être ni déplacés ni supprimés.
- Le **sujet** est celui **qui fait l'action**, en répondant à la question « **qui est-ce qui ?** » et le **verbe** détermine l'action « **qu'est-ce qui se passe ?** ».
- Les **compléments** ne sont pas indispensables, on peut les déplacer et / ou les supprimer.

Ce matin le lapin grignote des carottes dans le jardin.

- Qui grignote ? le lapin donc c'est le **sujet**.
- Que fait le lapin ? le lapin grignote des carottes donc c'est le **groupe verbal**.

1 Souligne en bleu les groupes sujets et en rouge les groupes verbaux.

- Mon frère a acheté une moto.
- Alice n'aime pas les glaces.
- Le soleil se lève.
- Les arbres perdent leurs feuilles.

2 Écris 4 phrases en utilisant un groupe sujet et un groupe verbal dans la liste.

mon chien • décollent de l'aéroport • s'ouvre au soleil • les avions • ce tournesol • les filles • aime les os • font de la balançoire.

- ....
- ....
- ....
- ....

N'oublie pas que le sujet doit être accordé avec le verbe.

3 Retrouve le groupe sujet de chaque phrase.

le hibou • les vaches du pré • les poules • le fermier.

- .... broutent de l'herbe.
- .... sort son tracteur ?
- .... picorent les graines.
- .... bat de l'aile.

4 Souligne le groupe sujet et entoure le verbe.

- Sous la pluie, Zoé sort son parapluie.
- Tu marches vite ce matin.
- Les enfants de l'école partent au musée.
- Quelle chance, nos tomates ont poussé rapidement !

CORRIGÉS P. 2

GRAMMAIRE

7 Le verbe

Le **verbe** est le cœur de la phrase. Tous les mots de la phrase lui sont rattachés.

Il exprime une **action** (marcher, parler…) ou un **état** (sembler, devenir…) du **sujet**. Il peut se conjuguer (il s'accorde alors avec le **sujet**) ou être à l'infinitif.

Pour trouver le verbe dans la phrase, on peut :

- changer le temps de la phrase : Lise **va** au sport. (présent) Lise **ira** au sport. (futur)
- changer le **sujet** de la phrase (du singulier au pluriel ou inversement) : **Lise va** au sport. **Lise et Jules vont** au sport.

Le seul mot **qui varie** est le **verbe**.

CONSEILS PAR

Quand vous parlez votre enfant, dema lui parfois de vous quel verbe vous ve d'utiliser, et s'il est conjugué ou à l'inf

1 Souligne le verbe conjugué dans chaque phrase.

- Je ferme la maison.
- Les élèves de CE2 prennent le bus pour la patinoire.
- Le bébé tête le lait de sa maman.
- Tu me parles trop fort.
- Les spectateurs de ce concert hurlent de joie.
- La boulangerie ouvre à 7 h 00.

2 Précise pour chaque verbe s'il s'agit d'un verbe d'action (A) ou d'un verbe d'état (E).

- Le voiturier **gare** la voiture au parking. ....
- Ce château **semble** inhabité. ....
- Tes rosiers **sont** splendides. ....
- Mon chat **dort** paisiblement sur le canapé. ....
- Ton fils **devient** un beau jeune homme. ....
- Les feuilles d'automne **s'envolent** dans le vent. ....

Un verbe d'action signifie que le vert présente ce qui est « fait » et non ce c « est ».

3 Complète le texte avec les verbes suivants.

retentit • brillent • déchargent • arrive • ouvrent • viennent • récupèrent • seront.

La sirène .... Le bateau .... au port. Les ouvriers .... les lourdes caisses. Les poissonniers .... les caisses et les .... À l'intérieur, de magnifiques poissons .... de toutes leurs écailles. Dans quelques heures, ils .... vendus directement à la criée où les acheteurs .... nombreux.

Rappelle-toi que le verbe s'accorde avec son sujet : est-il au pluriel ou au singulier ?

CORRIGÉS P. 2

8 GRAMMAIRE
Le sujet

Le **sujet** est essentiel dans la phrase car il indique qui fait l'action ou qui se trouve dans l'état exprimé par le **verbe**. Il commande l'accord du **verbe** en se plaçant souvent avant lui. Il peut être un **nom propre**, un **groupe nominal** ou un **pronom personnel**.

Pour trouver le sujet dans la phrase, on peut :

- se poser la question : « **qui est-ce qui ?** »
  Lise va au sport.
  Qui est-ce qui va au sport ?
  Lise, donc **Lise** est le **sujet** du verbe.

- encadrer le **sujet** par : « **c'est ... qui** » ou « **ce sont ... qui** »
  Lise va au sport.
  C'est Lise **qui** va au sport donc c'est **Lise** le **sujet** du verbe.

CONSEILS PARENTS

Expliquez à votre enfant qu'un seul sujet peut parfois commander plusieurs verbes.
Exemple : **Rose** court dans le pré puis cueille des marguerites.

1 Trouve le sujet de chaque phrase en posant la question : « qui est-ce qui ? » et en répondant : « c'est ... qui ».

- Ma sœur va au collège. → c'est .... qui va au collège.
- Ton pull semble trop petit. → c'est ....
- Les haricots poussent vite au jardin. → ce sont ....
- Les cyclistes peinent dans la montée. → ce sont ....

2 Souligne le sujet de chaque verbe.

- L'escargot **rampe** dans les fraisiers.
- Ma mère **cuisine** un bon gâteau.
- **Est**-elle avec toi au cinéma ?
- Tous les jours de ce mois de mai, il **pleut**.
- Dans la gare, les trains **sont** à l'arrêt.

3 Complète chaque phrase avec un sujet qui convient.

- .... appellent l'ambulance.
- .... vend des livres.
- .... jouent à la console.
- .... entend le coq chanter.
- Viens-............ à mon anniversaire ?
- Voulez-............ un sandwich ?

Accorde bien le sujet avec le verbe (verbe au singulier = sujet au singulier, mais verbe au pluriel = sujet au pluriel).

4 Entoure les verbes conjugués et souligne leur sujet.

- Le musicien joue du violon pour animer la soirée.
- La nuit, les hiboux hululent dans la forêt.
- De nombreux touristes visitent la capitale l'été.
- À la plage, les enfants sautent dans les vagues.
- Je viens de prendre mon petit déjeuner et j'ai encore faim.

CORRIGÉS P. 2

GRAMMAIRE

9 Le nom et le groupe nominal

CONSEILS PARE…
Demandez à votre enfant de vous cite… trois noms propres… connait et égaleme… deux noms commu… de chaque catégori… de la leçon.

• Le **nom propre** désigne une personne précise ou un lieu (une ville, un pays…). Il commence toujours par une **lettre majuscule** :
Anatole, **L**yon, l'**I**talie, les **A**lpes, la **S**eine…

• Le **nom commun** désigne une personne, un animal ou une chose. Il commence par une lettre minuscule et est en général précédé d'un **déterminant** :
la voisine, **mon** chat, **un** téléphone.

Le groupe nominal (GN) = **déterminant** + (**adjectif**) + **nom**

ta jolie voiture

1 Souligne tous les noms de chaque phrase.

• De gros camions passent sur la route. • Au parc de Marineland, on a vu des dauphins et des orques. • Lilian écrit sur son fichier avec un stylo noir. • Camille fait un footing avec sa copine.

2 Recopie uniquement les groupes nominaux :

le soleil • il boite • la ville rose • mon gentil poney • tu chantes • Max et Paul se bagarrent • une petite maison • une fleur épanouie.

• .... – ....
• .... – ....
• .... – ....

Rappelle-toi que le groupe nominal ne contient pas de ver… conjugué.

3 Classe les noms dans la bonne colonne.

la plage • Nantes • un vélo • une gomme • des tuyaux • l'Afrique • le Rhône • un cahier • les Pyrénées • des choux • un parapluie • Marseille.

Noms communs	Noms propres

4 Complète ces phrases avec des groupes nominaux de ton choix.

• Mes .... sont rangés dans des ....
• Au supermarché, maman veut que j'achète .... et ....
• L'an passé, j'ai visité .... et cette année je vais ....
• Au cours de ...., je fais .... et ....

CORRIGÉS P. 2-3

Les déterminants

Le **déterminant** a le même **genre** (masculin ou féminin) et le même **nombre** (singulier ou pluriel) que le nom. Il est toujours placé devant le nom qu'il accompagne.

- L'**article défini** désigne une personne ou une chose précise, que l'on connait : **l', le, les, la.**
- L'**article indéfini** désigne une personne ou une chose que l'on ne connait pas : **un, une, des.**
- Le **déterminant possessif** indique que la personne ou la chose appartient à quelqu'un : **mon, ma, mes, ton, ta, tes, son, sa, ses, notre, votre, leur, nos, vos, leurs.**

CONSEILS PARENTS

Seuls les déterminants **définis**, **indéfinis** et **possessifs** nécessitent d'être connus par votre enfant en CE2. Vous pouvez en évoquer d'autres mais n'insistez pas s'il ne les mémorise pas.

1 Entoure les déterminants des groupes nominaux.

une balançoire • les nombreuses chenilles • mon téléphone portable • tes chaussures de randonnée • les photos de famille • sa trottinette verte • un film comique • vos cartables • l'animal effrayé • un parapluie coloré.

2 Complète chaque phrase avec le déterminant qui convient.

ma • un • une • mon • leurs • sa • les • des.

« Élisa a pris .... compas et .... gomme ! » dit Kelly. • Jules veut .... chiot pour le promener avec .... laisse. • Octave et Timéo voient .... amis tous .... jours. • Il a mis .... chemise et .... chaussettes rayées.

3 Classe les GN des phrases suivantes dans le tableau en fonction de leur déterminant.

Le vent souffle les feuilles des arbres. • J'ai mis un chapeau et une écharpe. Ma voiture a du mal à démarrer. • Ton histoire est aussi intéressante que sa poésie. La branche de ses lunettes est tordue. • L'étoile brille au-dessus de vos têtes.

Article défini	Article indéfini	Déterminant possessif

4 Modifie ces phrases en mettant les déterminants possessifs au pluriel.

- Mon vélo est cassé. → ....
- Tess va chercher sa fille samedi. → ....
- Votre enfant est très curieux. → ....
- Le maraicher apporte au marché sa carotte et son navet. → ....

....

Accorde bien le verbe quand le sujet est au pluriel.

CORRIGÉS P. 3

GRAMMAIRE

11 Les pronoms personnels sujets

je (j'), tu, il, elle, on, nous, vous, ils et **elles** sont des **pronoms personnels sujets**.

Les pronoms personnels **sujets** peuvent remplacer un **nom propre ou un groupe nominal**. Parfois, le sujet du verbe est déjà un pronom personnel (**je** marche).

- Nom propre :
  Connie est triste.
  → **Elle** est triste.
- Groupe nominal :
  Le bus part demain de Lyon.
  → **Il** part demain de Lyon.

CONSEILS PAR...
À l'oral, demandez à votre enfant de remplacer dans une phrase le pronom personnel sujet par un groupe nominal et inversement, afin que votre enfant fasse le lien entre les de...

1 Entoure tous les pronoms personnels sujets.

- Tu fais du vélo dans la campagne.
- Elle mange une belle glace.
- En vacances, on s'amuse bien.
- La semaine prochaine, ils visiteront une miellerie.
- Quand je vais au cinéma, j'achète du pop-corn.
- Il préfère déjeuner à la maison.

2 Réécris les phrases en remplaçant le GN souligné par le pronom personnel sujet qui convient.

- Ma grand-mère fait du patin à roulettes. → ....
- Les grenouilles coassent fort dans le jardin. → ....
- Mon cousin et moi allons souvent au *fast food*. → ....
- Ton dentifrice sent bon. → ....
- De nombreux trains partent de la gare de Lyon. → ....
- Victoria prépare des crêpes et des gaufres pour le gouter. → ....

Tu dois d'abord te demander si le gro... nominal est singul... ou pluriel, et s'il es... féminin ou mascul...

3 Souligne les sujets puis complète le texte avec les pronoms personnels qui les remplacent.

Romy a très envie d'aller au cirque. .... va voir son papa. .... lui dit qu'......... l'y emmènera mercredi après-midi. .... est super contente et très excitée car .... espère voir des trapézistes et des funambules. « .... prendrons ton appareil photo, dit son papa. Comme ça, ... auras plein de souvenirs ! ». Romy va avoir du mal à attendre mercredi, ... voudrait déjà y être !

CORRIGÉS P. 3

GRAMMAIRE

12 Les adjectifs qualificatifs

CONSEILS PARENTS
Montrez à votre enfant que l'adjectif précise le nom et qu'il peut donc le supprimer sans trop changer la phrase.

L'**adjectif qualificatif** apporte une précision sur le **nom** qu'il accompagne. Il fait partie du groupe nominal (GN) et peut être placé **avant** ou **après** le nom qu'il qualifie.

• GN : **nom** + **adjectif**
Il a mis un **pantalon** **bleu**.

• GN : **adjectif** + **nom**
Elle a vu passer dans le ciel de **grandes** **cigognes**.

1 Entoure tous les adjectifs qualificatifs dans ces phrases. Attention, parfois elles n'en contiennent pas !

- Théobald a construit une solide cabane dans le haut cerisier.
- Anya, un rat de l'opéra, s'entraine avec acharnement.
- Cet hiver, j'ai acheté une épaisse couette aux plumes duveteuses.
- Charlie a ramassé une énorme courge dans son beau jardin.
- Après la pluie, le soleil brille de nouveau dans le ciel.
- Quelle merveilleuse idée cette fête pour son anniversaire !

2 Ajoute dans chaque phrase un adjectif qualificatif pour qualifier le nom souligné.

N'oublie pas que l'adjectif qualificatif s'accorde avec le nom qu'il accompagne.

- Le bus .... arrive devant l'école ....
- Cet été, il a visité le .... château de Versailles.
- La cuisinière a acheté des courgettes .... et du persil ....
- Le clown a enfilé un pantalon .... et des chaussures ....
- Mathilde a été au .... mariage de son .... cousin.
- Il trempe des gâteaux .... dans son chocolat ....

3 Complète le texte avec les adjectifs qualificatifs suivants.

bon • douces • étoilé • calme • pleine • nombreux • grand • vieil • petits • froissées.

Le .... hibou se réveille au creux d'un .... arbre. Il est encore endormi et a les ailes .... Pourtant, la .... lune est déjà haute dans le ciel .... Il doit partir à la chasse aux .... rongeurs. Ses .... hiboux comptent sur lui. Allez, Monsieur hibou, cette nuit .... et aux températures .... s'offre à toi ! C'est le .... moment !

CORRIGÉS P. 3

GRAMMAIRE

13 Les accords dans le groupe nominal

Dans le groupe nominal (GN), le **nom**, le **déterminant** et l'**adjectif** s'accordent en **genre** (masculin ou féminin) et en **nombre** (singulier ou pluriel).

• Si le nom est au masculin **pluriel**, le déterminant et l'adjectif sont au masculin **pluriel** : **les** meilleur**s** ami**s**, **nos** fauteuil**s** confortable**s**…

• Si le nom est au féminin **pluriel**, le déterminant et l'adjectif sont au féminin **pluriel** : **des** meilleur**es** ami**es**, **nos** voiture**s** éclatante**s**…

CONSEILS PAR…

Rappelez à votre e… que lorsque le GN comporte un nom masculin et un no… féminin, l'adjectif met au masculin p…

1 Entoure le genre et le nombre des GN suivants. MS = masculin singulier / MP = masculin pluriel / FS = féminin singulier / FP = féminin pluriel

- un beau manteau rouge → MS / MP / FS / FP
- de bonnes pizzas → MS / MP / FS / FP
- trois splendides papillons → MS / MP / FS / FP
- ma montre connectée → MS / MP / FS / FP

2 Écris ces GN au pluriel.

- une salopette rayée → ……………………………………
- ton stylo bleu → ……………………………………
- ma tendre amie → ……………………………………
- le vieux manoir → ……………………………………

Souligne d'abord le nom et écris en-dessous son ge… et son nombre : ce sera alors plus facile d'accorder les adjectifs.

3 Accorde les adjectifs proposés.

- Clara aime ses tisanes (chaud) et (sucré). → ……………………………………
- Je souhaite à ma famille une (bon) et (heureux) année. → ……………………………………
- Après le bain, Alicia enfile un collant (neuf) et une robe (sec). → ……………………………………
- La Comtesse de Ségur a écrit les (petit) filles (modèle). → ……………………………………

4 Réécris les phrases en remplaçant le nom souligné par celui proposé.

- Le camion a transporté cette <u>voiture</u> **(motos)** neuve.

……………………………………

- Le courageux <u>cavalier</u> **(cavalière)** noir a affronté Sigfrid le dragon.

……………………………………

- La puissante <u>pelleteuse</u> **(tracteurs)** jaune transporte des ballots de foin.

……………………………………

Accorde le déterminant, l'adjectif et le verbe si nécessaire.

CORRIGÉS P. 3

GRAMMAIRE

14 Les compléments dans la phrase

CONSEILS PARENTS

En CE2, votre enfant doit reconnaitre les compléments mais pas les définir, donc ne lui proposez pas forcément les termes COD, COI ou complément de temps, de lieu... s'ils n'ont pas été évoqués en classe.

Dans une phrase, certains mots apportent des informations sur l'action du verbe. Ce sont des **compléments**. Une phrase peut en contenir plusieurs.
Le lundi *(quand ?)*,
Romain prend **le bus** *(quoi ?)*.

• Certains compléments peuvent être déplacés ou supprimés. Ce sont des **compléments circonstanciels**.
À la campagne, on entend souvent les oiseaux.
On entend souvent les oiseaux **à la campagne**.
On entend souvent les oiseaux. (complément supprimé)
• Certains compléments ne peuvent être ni déplacés ni supprimés. Ce sont des **compléments d'objet**.
Diego aime **les chevaux**.
Si on enlève « **les chevaux** », la phrase est incomplète.
Diego aime. Si on le déplace, la phrase n'a plus de sens.
Les chevaux Diego aime.

1 Entoure les compléments déplaçables ou supprimables.

- Je ne vais pas travailler cet après-midi.
- Dans mon école, il y a plus de filles que de garçons.
- Je mange à la cantine le jeudi.
- Hier, j'ai vu un beau film au cinéma.

2 Dans les phrases suivantes, colorie le complément déplaçable.

- Les enfants | cuisinent | le repas | avec leur professeur.
- Jeanne | range | sa chambre | en dansant.
- Après le ski | Axel | boit | un chocolat.
- Autrefois | les enfants | travaillaient | aux champs.

3 Souligne les compléments circonstanciels.

- Le film débute à 20 h 30.
- Grâce à la pluie, les tomates d'Élie ont bien poussé.
- Achille a plongé dans la mer.
- Je suis en vacances depuis une semaine.
- Gabin est parti en rigolant.

Rappelle-toi que pour trouver le complément circonstanciel, il suffit de trouver ce qui peut être supprimé dans la phrase.

4 Ajoute un complément circonstanciel à chaque phrase.

- Il lit une histoire ....
- .... je vais faire du sport.
- Je vais sortir ....
- Tara joue ....

CORRIGÉS P. 3

☐ ☐ ☐

ORTHOGRAPHE

15 Les sons « s » et « z »

CONSEILS PARENTS
Demandez à votre enfant de repérer le son « **s** » dans le programme de télévision ou un autre écrit de la vie quotidienne.

Le son « **s** » s'écrit :
- **s** en début de mot, entre une voyelle et une consonne, entre une consonne et une voyelle,
- **ss** entre 2 voyelles,
- **c** devant **e**, **i** et **y**,
- **ç** devant **a**, **o** et **u**,
- parfois il s'écrit **x** ou **sc**.

Dans une cla**ss**e au **s**ol **c**iré, les gar**ç**ons **s**ortent par di**x** pour **s**e rendre à la pi**sc**ine.

★ 1 Complète avec s ou ss.

un bui......on ● une hi......toire ● un fo......é ● la mou......e ● un pan......ement ● un poi......on ● un pin......on ● une bro......e ● un mou......tique ● la ......oupe.

★ 2 Complète avec c ou ç.

un ......ygne ● un gla......on ● un pou......e ● une gla......e ● une balan......oire ● une bi......yclette ● un ......itron ● une tron......onneuse ● un ......intre ● la pla......e ● un la......et ● une fa......de ● une lima......e ● un gar......on ● les ma......ons.

★★ 3 Relie les mots au son « s » ou « z ».

souris ● raisin ● arrosoir ● mousse ● leçon ● pastille ● savon ● vase ●

● « s »   ● « z »

Rappelle-toi, entre 2 voyelles, la lettre **s** fait le son « **z** », exemple : une ro**s**e.

★★★ 4 Entoure l'intrus dans chaque liste.

- poste – asticot – insecte – piste – glissade – instrument.
- musique – passion – piscine – écrevisse – salade – saucisse.
- rose – cuisine – falaise – blouson – chaussette – vase.
- ascenseur – poussière – veste – glacière – bourse – esquimau.

Ne confonds pas le **s** que tu vois mais qui est muet, et le **s** que tu entends.

★★★ 5 Entoure 5 mots où tu entends « s » en bleu et 5 mots où tu entends « z » en orange.

Louise écoute de la musique dans le salon. Puis elle rejoint Salomé dans la salle de jeux pour une danse endiablée. Ensuite, elles iront dans la cuisine se préparer un gouter à base de fraises et de chantilly.

CORRIGÉS P. 3

16 ORTHOGRAPHE

Le son « k »

Le son « **k** » s'écrit :

- **c** souvent en début de mot, et devant les lettres **a**, **o**, **u**, **r** et **l**, ou en fin de mot,
- **qu** en début de mot et dans tous les verbes finissant en **-quer**,
- **k**,
- **ch** ou **ck**,
- **cc**.

Quatre **c**anards et un **k**angourou dansent le ro**ck** au son d'un or**ch**estre bien a**cc**ordé.

CONSEILS PARENTS

Jouez avec votre enfant à la phrase la plus longue contenant plusieurs fois le son « **k** », comme dans l'exemple de la leçon, en précisant l'écriture des mots concernés.

1 Complète avec c ou qu.

le ......arnaval • un pi...... et • un pho......e • la lo......omotive • une ra......ette • du ......a......ao • un avo......at • une é......ipe • un mousti......e • un cho...... • un be...... • un mas......ue • une ......ulotte • la logi......e • un ro......

2 Entoure les mots si tu entends « k ».

du chocolat • un placard • un pouce • une glace • une banquette • une bicyclette • des ciseaux • une cabane • une sucette • un orchestre • la colère • un pinceau • le saccage • un kiosque • un coquelicot.

Prononce les mots à voix haute pour bien entendre le son « **k** ».

3 Complète avec k, ch ou cc.

du s......i • un ......iosque • un é......o • une o......asion • un ra......ourci • un ......angourou • un psy......ologue • un ......ayak • le ......aos • du fol......lore.

4 Entoure l'intrus dans chaque liste.

- pistache – asticot – insecte – canapé – classe – crocodile.
- musique – paquet – boutique – coquette – quille – abricot.
- koala – cuillère – flaque – bouquet – cirage – escalope.
- corolle – cube – cou – esquimau – caramel – café.

5 Complète les phrases avec c, k, cc, q ou qu.

- Il y a eu du sa......age au ......afé du ......oin.
- Au judo, je porte un ......imono et à la mer un bi......ini.
- La bar......e avance tran......illement sur le la......
- Bientôt aura lieu la ......ermesse à la ......rèche des cin...... ......opains.

CORRIGÉS P. 3

ORTHOGRAPHE

17 Les sons « j » et « g »

CONSEILS PARENTS
Demandez à votre enfant de vous donner 3 mots avec le son écrit différemment et 2 mots avec le son écrit **g** ou **gu**.

Le son « **j** » s'écrit :
- **j** en début de mot, et parfois en milieu de mot,
- **g** devant **e**, **i** et **y**,
- **ge** devant **a**, **o** et **u**.

Le son « **g** » s'écrit :
- **g** devant les consonnes et les voyelles **a**, **o** et **u**,
- **gu** devant **e**, **i** et **y**.

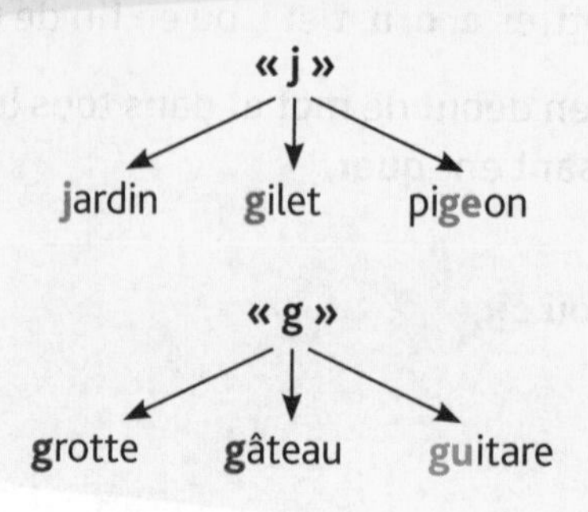

1 Complète avec le son « j » écrit j ou g.

une bou......ie • du so......a • un oran......er • la......ournée • un......ouet • une pa......e • un don......on • une ima......e • un dé......euner • la nei......e.

2 Complète avec le son « j » écrit g ou ge.

un vi......ile • un plon......oir • un......ilet • une man......oire • un a......ent • la ma......ie • un......éant • un ca......ot • un villa......e.

3 Relie les mots au son « j » ou « g ».

bague • nageoire • gare • vague • gel • singe • gym • gorille

Souligne d'abord **j**, **g** ou **ge** dans chaque liste pour trouver l'intrus plus facilement.

4 Entoure l'intrus dans chaque liste.

- image – fragile – jasmin – rouge – régime – pigeon.
- dragon – magasin – guerre – manège – langue – kangourou.
- éponge – joue – trajet – séjour – jupe – jumelles.
- gondole – goutte – grillon – légume – blague – ogre.

Prononce les phrases à voix haute pour bien différencier les sons « **j** » et « **g** ».

5 Complète les phrases avec j, g, ge ou gu.

- Maman met le py......ama au bébé qui......i......ote car il veut encore......ouer.
- Je ran......e mes voitures rou......es dans mon......ara......e......aune.
- La......irafe et la......enon sont des amies qui se......urent fidélité.
- Chez le boulan......er, j'achète une ba......ette et une canette d'oran......ade.

CORRIGÉS P. 4

ORTHOGRAPHE

18 n devant m, b et p

Devant les consonnes **m, b et p, la lettre n devient m.**

n → m → immangeable / une jambe / un pompier

sauf : bonbon, bonbonnière…

CONSEILS PARENTS

Proposez à votre enfant ce moyen mnémotechnique : le **n** devient **m** devant **m**aman, **p**apa et **b**ébé.

1 Complète avec in ou im.

un pr……ce • un s……ge • un……perméable • la p……tade • un t……bre • un……specteur • un……pôt • une t……bale • un……connu • ……possible.

2 Complète avec an ou am.

un t……bour • un ch……pignon • un d……seur • une……poule • une bal……çoire • une l……pe • un croiss……t • une ch……bre • un dim……che • un b……c.

Regarde la lettre qui vient juste après l'espace à compléter et entoure-la s'il s'agit d'un **m**, **b** ou **p** : ce sont les mots à compléter avec la lettre **m**.

3 Complète avec en ou em.

un v……deur • une t……pête • un serp……t • une d……t • le t……ps • une……preinte • un pansem……t • v……dredi • déc……bre • la p……dule.

4 Complète avec n ou m.

une co……pote • un pa……talon • une ba……que • une tro……pette • un o……cle • une ta……te • septe……bre • du ja……bon • la la……gue • un co……pagnon • du cha……pagne • un bo……bon • une i……primante • une se……sation • le me……ton • e……mener • un ba……bou • une to……bola.

5 Complète les phrases avec in / im, en / em, an / am ou on / om.

• Les s……ges mal……s gr……pent……peccablem……t pour……porter leur butin.

• Au sommet des br……ches, les ch……pions savourent des fr……boises et des bananes sans pép……s.

• Au pr……t……ps, quand la t……pérature sera plus clém……te, les jeunes reprendront le c……bat pour savoir qui dirigera le cl…… .

• D……s la nature, les s……ges s……t d'une……croyable efficacité pour gérer leur vie ……s……ble.

ORTHOGRAPHE

19 Le féminin des noms

Pour mettre un nom au féminin, il suffit souvent d'ajouter un e au masculin : un voisin, une voisine.

Mais parfois, il faut modifier la fin du mot.
- **er → ère** : le fermier, la fermière
- **eur → euse** : le vendeur, la vendeuse
- **teur → trice** : le facteur, la factrice
- **e → esse** : un ogre, une ogresse
- **p/f → ve** : un sportif, une sportive
- **ien** ou **on → ienne** ou **ionne** : un chien, une chienne ; un lion, une lionne

CONSEILS PARENTS

Rappelez à votre enfant que même si le **e** du féminin ne s'entend pas, il est bien présent : un employé, une employé**e**.

1 Classe les noms suivants dans le tableau.

une chaise • un fauteuil • ce garçon • cette fille • ton travail • la poire • ma crème • la pluie • un orage • le soleil • une panthère • un animal.

Noms masculins	Noms féminins

2 Écris si ces mots sont masculin (M) ou féminin (F).

l'otarie : ...... • l'hiver : ...... • l'argent : ...... • l'écureuil : ...... • l'histoire : ......

• l'araignée : ...... • l'étoile : ...... • l'habit : ...... • l'hôpital : ......

Répète les mots de l'exercice en disant **un** puis **une** à la place de **l'** : tu te rendras mieux compte si le nom est masculin ou féminin.

3 Relie le nom masculin à son féminin.

un marchand •	• une vache
un employé •	• une comédienne
un voyageur •	• une employée
un comédien •	• une voyageuse
un taureau •	• une marchande
un coq •	• une poule

4 Écris le masculin des noms suivants.

une renarde : .... • une coiffeuse : .... • une sorcière : ....

une directrice : .... • une tigresse : .... • une louve : ....

5 Écris le féminin des noms suivants.

un chanteur : .... • un maitre : .... • un moniteur : ....

un musicien : .... • un boulanger : .... • un ami : ....

CORRIGÉS P. 4

ORTHOGRAPHE

20 Le pluriel des noms

• La plupart des noms prennent un **s** au pluriel, y compris ceux en **-ou** : des chiens, des livres, des sous...

• La plupart des noms qui se terminent par **-al** font leur pluriel en **-aux** : des chevaux, des journaux...

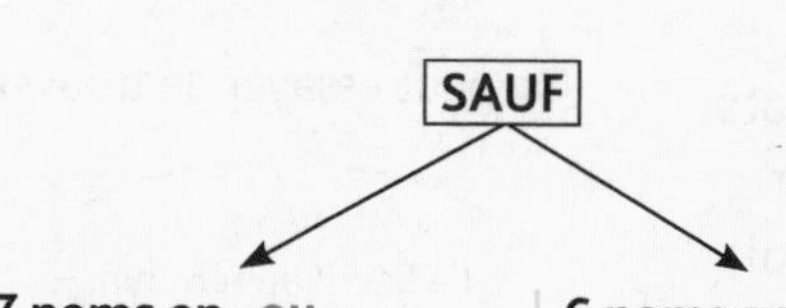

7 noms en -ou
des choux, des cailloux, des hiboux, des genoux, des poux, des joujoux, des bijoux.

6 noms en -al
des bals, des festivals, des chacals, des récitals, des régals, des carnavals.

CONSEILS PARENTS

Faites mémoriser à votre enfant les deux listes d'exceptions, comme une comptine amusante dont la syllabe finale est toujours la même.

★ **1 Entoure les groupes nominaux au pluriel.**

ton prix • un chacal • vos noix • trois fois • un nez • le gaz • ton corps • plusieurs os • des pois • un jus • 2 roues • des ours • un bus • ses choix • un colis • le bois • un tapis.

Rappelle-toi qu'un nom terminé par **x**, **s** ou **z** au singulier ne change pas au pluriel : un radis, des radis.

★ **2 Écris ces noms au pluriel.**

- un taxi : des ....
- un festival : des ....
- un hôpital : des ....
- un matou : des ....
- une souris : des ....
- une ourse : des ....
- un hibou : des..............................
- un local : des ....

★ **3 Barre les noms dont le pluriel est incorrect.**

des bisous • des animaus • des choux • des voyoux • des caprices
des gnoux • des paradis • des bijous • des loups • des rivaux
des cristals • des cristaus • des jaloux • des clous • des taxi.

★ **4 Complète les phrases avec les noms au pluriel.**

- Les (couvercle) .... de ces (bocal) .... ferment difficilement.
- J'ai trouvé des (caillou) .... avec beaucoup de (trou) ....
- Les (carotte) .... sont des (végétal) .... et les (chacal) .... des (animal) ....
- Les (prix) .... de ces (verrou) .... sont étonnants.
- Les (chapeau) .... présentés dans cette boutique sont colorés et (beau) ....

ORTHOGRAPHE

21 Les lettres finales muettes

CONSEILS PARENTS

Demandez à votre enfant de vous expliquer sa méthode pour trouver la lettre finale d'un mot que vous lui donnez.

De nombreux mots se terminent par une consonne qui ne se prononce pas.
C'est une **lettre muette** :
un peti**t** renar**d** gri**s**.

On peut essayer de trouver cette consonne.

Mets le nom ou l'adjectif au **féminin**.

Cherche un mot de la **même famille**.

- un chat, une cha**tte**
- petit, peti**te**

- un trot vient du verbe tro**tter**
- gros vient du verbe gro**ssir**

1 Lis ces mots et entoure ceux qui finissent par une lettre finale muette.

la boue • un but • une nuit • un sourd • huit • jadis • un coup • un ours • un car • une croix • un os • un pot • un briquet • un pont • un vol • un ciré.

2 Écris ces mots au masculin et souligne la lettre muette.

- blanche : ....
- grande : ....
- profonde : ....
- une parente : ....
- épaisse : ....
- une marchande : ....
- une Française : ....
- une éléphante : ....

3 Complète avec la lettre finale qui convient : s, t ou d.

préci..... • blon..... • méchan..... • gri..... • un avoca..... • un géan.....
• un Portugai..... • puissan..... • un ron..... • un sau.....

Pense à bien mettre les adjectifs au féminin pour trouver leur lettre finale.

4 Complète avec p, t ou d puis écris le verbe de la même famille.

- un galo..... → ....
- un chan..... → ....
- le trico..... → ....
- un bon..... → ....

5 Trouve un nom de la même famille et écris-le.

- Avec ma copine, nous avons le même (parfumer) ....
- J'ai un peu peur car demain je vais faire soigner mes (dentiste) ....
- Dans ce film, il y a beaucoup de (bruitage) .... bizarres.
- Tes yeux bleus te donnent un (regarder) .... très mystérieux.

CORRIGÉS P. 4

CORRIGÉS P. 4

ORTHOGRAPHE

22 Les accents

Les accents permettent de varier la prononciation d'une même lettre.

On les trouve généralement sur la lettre **e**, mais aussi sur d'autres lettres pour distinguer les homophones (ou / **où**, a / **à**).

On trouve 3 types d'accents sur la lettre **e**.

L'accent **aigu é** qui se prononce **« é »** : un b**é**b**é**	L'accent **grave è** qui se prononce **« è »** : un fr**è**re	L'accent **circonflexe ê** qui se prononce **« è »** : une for**ê**t

CONSEILS PARENTS

Lorsque vous parlez avec votre enfant, prononcez les mots en différenciant nettement l'accent **é** de l'accent **è**.

★ **1 Classe ces mots dans le tableau.**

élastique • ancêtre • panthère • colère • béret • café • fenêtre • rêve • frère.

Accent aigu	Accent grave	Accent circonflexe

★ **2 Entoure l'intrus dans chaque liste.**

- décider – espérer – calculer – échapper – préciser.
- une fenêtre – une fête – une guêpe – une tête – un bonnet.
- un père – un zèbre – un trèfle – une cuillère – une écharpe.

★ **3 Complète avec é, è, ê ou e.**

un m......tier • une l......ttre • une f......te • des mi......ttes • une pur......e • une ch......vre • une gal......tte • un rhinoc......ros • une fi......vre • une for......t.

Exagère la prononciation des mots pour bien différencier les sons « é » et « è ».

★ **4 Souligne les mots en bleu quand tu entends « é » et en orange quand tu entends « è ».**

J'ai vu un éléphant boire dans le lac près de la rivière. Une guêpe est arrivée et l'a piqué. Aïe ! a crié l'éléphant très agité. Pardon, a fait la guêpe. Désolée, c'était une erreur. Mon dard s'est planté dans ton pied au lieu de piquer dans l'eau !

Souligne d'abord les syllabes qui nécessitent un accent.

★ **5 Ajoute les accents manquants.**

- J'ai un frere tetu qui n'en fait qu'à sa tete.
- Ma niece est serieuse et elle prepare son diplôme d'infirmiere.
- Le pre est rempli de paquerettes et de pensees qui embaument les soirees d'ete.
- J'espere que ma mere va me preter son telephone !

CORRIGÉS P. 4

L'accord en genre dans le groupe nominal

CONSEILS PARENTS
Quand votre enfant veu accorder plusieurs mots invitez-le à procéder pa ordre : repérer le genre du déterminant puis repérer l'adjectif pour pouvoir l'accorder avec le nom.

- Dans le GN, le déterminant et l'adjectif sont du même **genre** que le nom qu'ils accompagnent.
un (masculin) pain (masculin) frais (masculin)
une (féminin) baguette (féminin) fraiche (féminin)

- Quand le GN contient un nom **masculin** ET un nom **féminin**, l'adjectif s'écrit au **masculin** :
un garçon et une fille attentif**s**

Les déterminants
- masculins : un, le, l', mon, ton, son, ce ou cet (devant une voyelle).
- féminins : une, la, l', ma, ta, sa, cette.

Le féminin des adjectifs
- adjectif masculin + **e** : petit, petit**e**…
- adjectif masculin + **e** mais la terminaison change : premier, premi**ère** / gros, gro**sse**…
- parfois pas de changement : malade, malade / orange, orange…

1 **Écris si les GN sont au masculin (M) ou au féminin (F).**

un pneu crevé (……) • une ourse endormie (……) • un robot arrêté (……) • une voiture rouge (……) • un coup fatal (……) • une antilope élancée (……) • un stade plein (……).

2 **Entoure ce qui n'est pas correct dans les GN suivants.**

un grande plat • un belle assiette • mon jolie neveu • mon cartable bleue • ce vilaine blessure • la long échelle • un poule caquetante • cette peinture frais.

L'erreur peut se trouver sur n'importe quel mot du GN, car tous doivent s'accord

3 **Complète les GN avec les adjectifs proposés.**

neuf • chaud • chaude • roux • neuve • rousse.

une voiture ……………… • une renarde ……………… • un pantalon ……………… • une soupe ……………… • un renard ……………… • un potage ………………

4 **Transforme les GN en accordant l'adjectif.**

- un livre passionnant → une histoire ………………………………
- un beau champignon → une ……………………… fleur
- un déjeuner rapide → une soirée ………………………………
- un bon copain → une ……………………… copine

Accorde bien tous les mots.

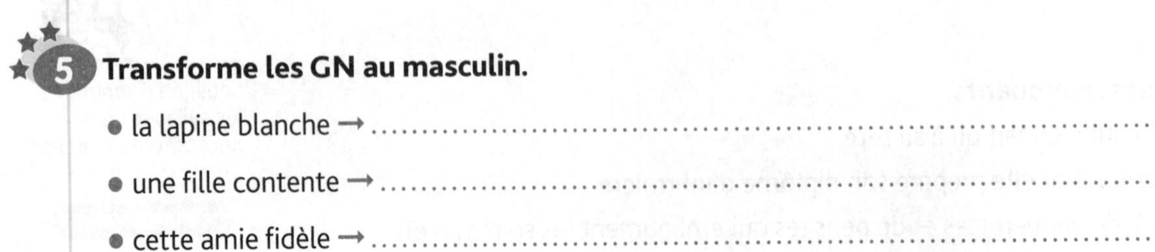

5 **Transforme les GN au masculin.**

- la lapine blanche → ………………………………………………
- une fille contente → ………………………………………………
- cette amie fidèle → ………………………………………………

CORRIGÉS P. 4

24 ORTHOGRAPHE

L'accord en nombre dans le groupe nominal

CONSEILS PARENTS
Comme pour l'accord en genre, invitez votre enfant à procéder par ordre : d'abord trouver le nombre du nom afin de pouvoir ensuite accorder correctement l'adjectif.

• Dans le GN, le déterminant et l'adjectif sont du même **nombre** que le nom qu'ils accompagnent :
un (singulier) pain (singulier) grillé (singulier)
des (pluriel) pains (pluriel) grillés (pluriel)

• Quand le GN contient un nom **masculin** ET un nom **féminin**, l'adjectif s'écrit au **masculin pluriel** : des garçons et des filles attentif**s**

Les déterminants	Le pluriel des adjectifs
• **au singulier :** – masculins : un, le, l', mon, ton, son, ce ou cet (devant une voyelle). – féminins : une, la, l', ma, ta, sa, cette. • **au pluriel** masculins ou féminins : des, les, mes, tes, ses, ces.	• adjectif singulier + **s** : petit, petit**s**, petite, petite**s**… • mais les adjectifs finissant par **-al** et **-eau** font **-aux** et **-eaux** : géni**aux**, be**aux** SAUF bancal**s**, fatal**s**, naval**s**, final**s**, natal**s**…

1 **Écris si les GN sont au singulier (S) ou au pluriel (PL).**

un pneu crevé (......) • cet ours endormi (......) • des robots stoppés (......) • la voiture rouge (......) • des coups fatals (......) • une antilope élancée (......) • un stade plein (......).

2 **Entoure ce qui n'est pas correct dans les GN suivants.**

un grands plat • des belle assiettes • mon jolis neveux • mon cartable bleus • ces vilaine blessures • la longues échelles • des poule caquetantes • cette peinture fraiches.

3 **Complète les GN avec les adjectifs proposés.**

doux • douce • impatients • impatientes • agitée • impétueuses.

une écharpe .... • des garçons .... • un pull .... • une mer .... • des pulls .... • des filles .... • des rivières ....

Souviens-toi que comme pour les noms, les adjectifs se terminant par **s** ou **x** au singulier ne changent pas au pluriel.

4 **Transforme les GN en accordant l'adjectif.**

• un livre passionnant → des histoires .... • une belle piscine → de .... piscines • un déjeuner rapide → des déjeuners ....
• un copain curieux → des copains ....

5 **Transforme les GN au pluriel. Attention à bien accorder tous les mots !**

• le chat gris → ....
• cet arbre majestueux → ....
• mon vieux père aimant → ....
• la gentille et fine acrobate → ....

CORRIGÉS P. 4-5

25 ORTHOGRAPHE
L'accord sujet – verbe

Le **verbe** s'accorde toujours avec son **sujet**.

Un seul sujet au singulier : **Le maitre** parle.	Un seul sujet au pluriel : **Les enfants** écoutent.
↕ **VERBE au singulier**	↕ **VERBE au pluriel**
Un seul sujet au singulier, plusieurs verbes : **Le maitre** organise, anime et motive les élèves.	Plusieurs sujets : **Le maitre et son élève** partent au musée.

CONSEILS PARE…
Invitez votre enfant à bien repérer d'abo… le sujet de la phras… aidez-le en lui demandant « qui fa… l'action ».

★ **1 Complète les phrases avec le verbe marcher correctement accordé.**

● Jérémy et sa sœur .... sur le chemin. ● Le petit canard .... jusqu'à l'étang. ● Les girafes .... dans la savane. ● Moi je .... sous la pluie. ● Mes cousins et moi .... en file indienne.

★ **2 Relie le sujet à son verbe correctement accordé.**

Matthéo ●	● sortez de la forêt.
Vous ●	● tirent des buts.
Romane et Elsa ●	● joue au tennis.
Tu ●	● dansent avec brio.
Les garçons ●	● regardes un film.

Remplace le sujet p… le pronom qui lui correspond, ce sera ainsi plus facile de trouver l'orthograph… du verbe.

★★ **3 Entoure le verbe qui convient.**

La souris manges / mange du fromage. ● Les bourgeons pousses / poussent sur les branches. ● Kelly et moi vont / allons au bowling. ● Nos amis prenons / prennent leur temps.

★★ **4 Complète les phrases avec le verbe qui convient.**

part ● pousse ● porte ● portent ● coupons.

Je .... ton sac. ● Zoé et Zébulon .... leur cartable. ● Nous .... du jasmin. ● La poire .... sur l'arbre. ● Le bus .... à l'heure.

★★★ **5 Complète le texte au présent de l'indicatif.**

Un écureuil (grimper) .... dans l'arbre. Sa famille (être) .... déjà dans leur abri. Tous ensemble, ils (trier) .... les noisettes et les glands. Les plus âgés (vérifier) .... les fruits et les plus jeunes (transporter) .... la récolte à la réserve. Les uns et les autres (aller) .... et (venir) .... dans l'arbre.

CORRIGÉS P. 5

8-9 ANS

CE2

Les corrigés

Français

- **La maitrise du langage** est au cœur du programme scolaire. Mieux les enfants manieront la langue, plus ils seront à l'aise dans les différents domaines. Ils repèreront plus facilement les vocabulaires spécifiques à chaque matière, comprendront mieux les énoncés et répondront plus précisément aux questions qui leur sont posées.
- **Au cycle 2** (CP, CE1 et CE2), votre enfant entre dans l'apprentissage du français par l'oral, l'écriture et la lecture. Parallèlement, il en apprend les règles. Il peut ainsi produire des énoncés mieux structurés, des écrits organisés et ponctués de plus en plus complexes, et surveiller son orthographe.

Grammaire

1 Savoir reconnaitre une phrase

> p. 8

1 La poule est sur le mur. Jules et Oscar vont au cinéma. Quelle joie de te voir !

2 Max a un vélo bleu. Où est mon pantalon à poches rayées ? J'aime le chocolat chaud. Le moineau vient de se poser sur ma fenêtre. Léo, tu appelles ton copain au téléphone ?

3 Le chat court vite après la souris. Lou veut le camion de Léon. J'aime la glace à la vanille et au citron. Il porte un bonnet vert et des chaussettes jaunes. Pose les assiettes sur la table.

4 fois ; roi ; filles ; marier ; elle ; prince ; l'autre ; savait ; Indécise (ou Indépendante) ; indépendante (ou indécise) ; moment ; voulait ; bonheur ; chacune.

2 Les trois types de phrases

> p. 9

1 ? – . ou ! – . – ? – . ou !

2 ! impérative – ? interrogative – • déclarative – ? interrogative – • ou ! impérative.

3 Comment t'appelles-tu ? • Aimes-tu les choux à la crème ? • Où part-il ? ou Dans quelle ville part-il ? • Où vont Emma et Éthan ?

4 Fais tes devoirs ! • Jules, va jouer dehors ! • Prends une douche Tom !

3 Les différentes formes de la phrase

> p. 10

1 À cocher : Je veux aller au concert samedi. • Sors la poubelle s'il te plait ! • As-tu vu le clip de ce chanteur de rap ?

2 Ne crie pas ! • Je ne veux pas rentrer tout de suite. • Soan n'ira pas tout seul au stade. • Ne vas-tu pas chez le dentiste mercredi ?

3 Je n'ai pas de smartphone tout neuf ! • Dorian ne court pas plus vite que Léo. • Pourquoi ne préférez-vous pas le karaté ? • Ces lunettes ne te vont pas très bien !

4 J'ai vu un tigre féroce. – Je ne veux pas voir un tigre féroce. Je veux acheter un jeu vidéo. – je n'ai pas de jeu vidéo.

4 La ponctuation

> p. 11

1 , ; . • : ; « ; ! ; » • ? • ! ; .

2 John a acheté du pain, du fromage, des fruits et un gâteau.
Quand pars-tu en vacances, à la montagne ?
Éteins vite la télévision, mets ton pyjama et va te coucher !
Dans cette forêt, il y avait plein d'animaux.

3 Au zoo, j'ai vu des tigres, des ours et des pandas.
Qui vient à la maison, samedi soir, pour la soirée pyjama ?
Ce matin, le maitre dit : « qui a envie de nous faire un exposé sur Thomas Pesquet ? »

5 La phrase interrogative

> p. 12

1 Avez-vous pris vos médicaments ? • Est-ce que vous m'entendez ? • Comment avez-vous trouvé ce film ? • Qui part en avion cet été ?

2 Pourquoi veux-tu déjà partir ? • Comment vas-tu ? • Combien avez-vous de places dans ce stade ? • Quand pourra-t-on retourner dans les iles ? • Est-ce que je peux regarder la télévision ?

3 Pourquoi • Comment • Qui • Quand.

4 Que connait ma mère ? • Quand Joan part-il ? • Avec quoi (ou Comment) me rejoint Ruben ? • Comment sont Lili et Émilie ?

6 Les groupes dans la phrase

> p. 13

1 Mon frère a acheté une moto • Alice n'aime pas les glaces. • Le soleil se lève. • Les arbres perdent leurs feuilles.

2 Mon chien aime les os. • Les avions décollent de l'aéroport. • Ce tournesol s'ouvre au soleil. • Les filles font de la balançoire.

3 Les vaches du pré broutent de l'herbe. • Le fermier sort son tracteur. • Les poules picorent les graines. • Le hibou bat de l'aile.

4 Sous la pluie, Zoé [sort] son parapluie. • Tu [marches] vite ce matin. • Les enfants de l'école [partent] au musée. • Quelle chance, nos tomates [ont poussé] rapidement !

7 Le verbe

> p. 14

1 ferme • prennent • tête • parles • hurlent • ouvre.

2 A • E • E • A • E • A.

3 retentit ; arrive ; déchargent ; récupèrent ; ouvrent ; brillent ; seront ; viennent.

8 Le sujet

> p. 15

1 ma sœur • ton pull • les haricots • les cyclistes.

2 l'escargot • ma mère • elle • il • les trains.

3 les secouristes • la libraire • Tom et Siméon • le fermier • tu • vous.

4 Le musicien [joue] du violon. • La nuit, les hiboux [hululent] dans la forêt. • De nombreux touristes [visitent] la capitale l'été. • À la plage, les enfants [sautent] dans les vagues. • Je [viens] de prendre mon petit déjeuner et j' [ai] encore faim.

9 Le nom et le groupe nominal

> p. 16

1 camions ; route. • parc ; Marineland ; dauphins ; orques • Lilian ; fichier ; stylo • Camille ; footing ; copine.

2 le soleil • la ville rose • mon gentil poney • une petite maison • une fleur épanouie.

3 Noms communs : la plage • un vélo • une gomme • des tuyaux • un cahier • des choux • un parapluie.
Noms propres : Nantes • l'Afrique • le Rhône • les Pyrénées • Marseille.

4 Mes vêtements sont rangés dans des tiroirs. • Au supermarché, maman veut que j'achète des chaussettes à pois et des radis roses. • L'an passé, j'ai visité le musée Rodin et cette année je vais à la Cité de l'espace. • Au cours de gymnastique, je fais des roulades et des sauts.

10 Les déterminants

> p. 17

1 (une) balançoire • (les) nombreuses chenilles • (mon) téléphone portable • (tes) chaussures de randonnée • (les) photos de famille • (sa) trottinette verte • (un) film comique • (vos) cartables • (l') animal effrayé • (un) parapluie coloré.

2 mon ; ma • un ; sa • leurs ; les • une ; des.

3 Article défini : le vent • les feuilles • la branche • l'étoile.
Article indéfini : des arbres • un chapeau • une écharpe.
Déterminant possessif : ma voiture • ton histoire • sa poésie • ses lunettes • vos têtes.

4 Mes vélos sont cassés. • Tess va chercher ses filles samedi. • Vos enfants sont très curieux. Les maraichers apportent au marché leurs carottes et leurs navets.

11 Les pronoms personnels sujets

> p. 18

1 À entourer : Tu • Elle • on • ils • je ; j' • Il.

2 Elle fait du patin à roulettes. • Elles coassent fort dans le jardin. • Nous allons souvent au *fast food*. • Il sent bon. • Ils partent de la gare de Lyon. • Elle prépare des crêpes et des gaufres pour le gouter.

3 Romy ; elle ; Il ; il ; Elle ; elle ; Nous ; tu ; elle.

12 Les adjectifs qualificatifs

> p. 19

1 À entourer : solide ; haut • épaisse ; duveteuses • énorme ; beau • merveilleuse.

2 Le bus jaune ; l'école maternelle • le somptueux château • des courgettes rondes et du persil odorant (ou plat) • un pantalon large et des chaussures énormes. • au surprenant mariage ; son petit cousin. • des gâteaux secs ; son chocolat chaud.

3 vieil ou grand ; grand ou vieil ; froissées ; pleine ; étoilé ; nombreux ; petits ; calme ; douces ; bon moment.

13 Les accords dans le groupe nominal

> p. 20

1 MS • FP • MP • FS.

2 des salopettes rayées • tes stylos bleus • mes tendres amies les vieux manoirs.

3 Clara aime ses tisanes chaudes et sucrées. • Je souhaite à ma famille une bonne et heureuse année. • Après le bain, Alicia enfile un collant neuf et une robe sèche. • La Comtesse de Ségur a écrit les petites filles modèles.

4 Le camion a transporté ces motos neuves. • La courageuse cavalière noire a affronté Sigfrid le dragon. • Les puissants tracteurs jaunes transportent des ballots de foin.

14 Les compléments dans la phrase

> p. 21

1 À entourer : cet après-midi • dans mon école • à la cantine ; le jeudi • hier ; au cinéma.

2 À colorier : avec leur professeur • en dansant • après le ski • autrefois ; aux champs.

3 À souligner : à 20 h 30 • grâce à la pluie • dans la mer • depuis une semaine • en rigolant.

4 Il lit une histoire dans sa chambre. • Tous les mercredi, je vais faire du sport. • Je vais sortir au skate parc. • Tara joue dans le jardin.

Orthographe

15 Les sons « s » et « z »

> p. 22

1 un buisson • une histoire • un fossé • la mousse • un pansement • un poisson • un pinson • une brosse • un moustique • la soupe.

2 un cygne • un glaçon • un pouce • une glace • une balançoire • une bicyclette • un citron • une tronçonneuse • un cintre • la place • un lacet • une façade • une limace • un garçon • les maçons.

3 « s » : souris ; mousse ; leçon ; pastille ; savon.
« z » : raisin ; arrosoir ; vase.

4 glissade • musique • chaussette • glacière.

5 mots en bleu : Salomé ; salle ; danse ; ensuite ; se.
mots en orange : Louise ; musique ; cuisine ; base ; fraises.

16 Le son « k »

> p. 23

1 le carnaval • un piquet • un phoque • la locomotive • une raquette • du cacao • un avocat • une équipe • un moustique • un choc • un bec • un masque • une culotte • la logique • un roc.

2 du chocolat • un placard • une banquette • une bicyclette • une cabane • un orchestre • la colère • le saccage • un kiosque • un coquelicot.

3 du ski • un kiosque • un écho • une occasion • un raccourci • un kangourou • un psychologue • un kayak • le chaos • du folklore.

4 pistache • abricot • cirage • esquimau.

5 saccage ; café ; coin • kimono ; bikini • barque ; tranquillement ; lac • kermesse ; crèche ; cinq ; copains.

17 Les sons « j » et « g »

> p. 24

1 une bougie • du soja • un oranger • la journée • un jouet • une page • un donjon • une image • un déjeuner • la neige.

2 un vigile • un plongeoir • un gilet • une mangeoire • un agent • la magie • un géant • un cageot • un village.

3 « j » : nageoire • gel • singe • gym.
« g » : bague • gare • vague • gorille.

4 jasmin • manège • éponge • blague.

5 Pyjama ; gigote ; jouer • range ; rouges ; garage ; jaune • girafe ; guenon ; jurent • boulanger ; baguette ; orangeade.

18 n devant m, b et p

> p. 25

1 un prince • un singe • un imperméable • la pintade • un timbre • un inspecteur • un impôt • une timbale • un inconnu • impossible.

2 un tambour • un champignon • un danseur • une ampoule • une balançoire • une lampe • un croissant • une chambre • un dimanche • un banc.

3 un vendeur • une tempête • un serpent • une dent • le temps • une empreinte • un pansement • vendredi • décembre • la pendule.

4 une compote • un pantalon • une banque • une trompette • un oncle • une tante • septembre • du jambon • la langue • un compagnon • du champagne • un bonbon • une imprimante • une sensation • le menton • emmener • un bambou • une tombola.

5 Les singes malins grimpent impeccablement pour emporter leur butin. • Au sommet des branches, les champions savourent des framboises et des bananes sans pépins. • Au printemps, quand la température sera plus clémente, les jeunes reprendront le combat pour savoir qui dirigera le clan. Dans la nature, les singes sont d'une incroyable efficacité pour gérer leur vie ensemble.

19 Le féminin des noms

> p. 26

1 Noms masculins : un fauteuil • ce garçon • ton travail • un orage • le soleil • un animal.
Noms féminins : une chaise • cette fille • la poire • ma crème • la pluie • une panthère.

2 F • M • M • M • F • F • F • M • M.

3 taureau-vache/ comédien-comédienne/ employé-employée/ voyageur-voyageuse/ marchand-marchande/ coq-poule.

4 un renard • un coiffeur • un sorcier • un directeur • un tigre • un loup.

5 une chanteuse • une maitresse • une monitrice • une musicienne • une boulangère • une amie.

20 Le pluriel des noms

> p. 27

1 vos noix • trois fois • plusieurs os • des pois • 2 roues • des ours • ses choix.

2 des taxis • des festivals • des hôpitaux • des matous • des souris • des ourses • des hiboux • des locaux.

3 des animaux • des voyous • des gnous • des bijoux • des cristaux • des taxis.

4 Les couvercles de ces bocaux ferment difficilement.
J'ai trouvé des cailloux avec beaucoup de trous.
Les carottes sont des végétaux et les chacals des animaux.
Les prix de ces verrous sont étonnants.
Les chapeaux présentés dans cette boutique sont colorés et beaux.

21 Les lettres finales muettes

> p. 28

1 À entourer : la boue • une nuit • un sourd • un coup • une croix • un pot • un briquet • un pont.

2 blanc • épais • grand • un marchand • profond • un Français • un parent • un éléphant.

3 précis • blond • méchant • gris • un avocat • un géant • un Portugais • puissant • un rond • un saut.

4 un galop = galoper • le tricot = tricoter • un chant = chanter • un bond = bondir.

5 parfum • dents • bruits • regard.

22 Les accents

> p. 29

1 Accent aigu : élastique • béret • café.
Accent grave : panthère • colère • frère.
Accent circonflexe : ancêtre • fenêtre • rêve.

2 calculer • un bonnet • une écharpe.

3 un métier • une lettre • une fête • des miettes • une purée • une chèvre • une galette • un rhinocéros • une fièvre • une forêt.

4 mots en bleu : éléphant • arrivée • et • piqué • crié • agité • désolée • c'était • erreur • planté • pied • piquer.
mots en orange : j'ai • près • rivière • guêpe • est • très • fait • c'était • s'est.

5 frère ; têtu ; tête • nièce ; sérieuse • prépare ; d'infirmière • pré ; pâquerettes ; pensées ; soirées • d'été • j'espère ; mère ; prêter ; téléphone.

23 L'accord en genre dans le groupe nominal

> p. 30

1 M • F • M • F • M • F • M.

2 grande • un • jolie • bleue • ce • long • un • frais.

3 neuve • rousse • neuf • chaude • roux • chaud.

4 passionnante • belle • rapide • bonne

5 le lapin blanc • un garçon content • cet ami fidèle.

24 L'accord en nombre dans le groupe nominal

> p. 31

1 S • S • PL • S • PL • S • S.

2 À entourer : grands • belle • mon • bleus • vilaine • la • poule • fraiches.

3 douce • impatients • doux • agitée • doux • impatientes • impétueuses.

4 passionnantes • belles • rapides • curieux.

5 les chats gris • ces arbres majestueux • mes vieux pères aimants • les gentilles et fines acrobates.

25 L'accord sujet – verbe

> p. 32

1 marchent • marche • marchent • marche • marchons.

2 Matthéo joue au tennis. • Vous sortez de la forêt. • Romane et Elsa dansent avec brio ou tirent des buts. • Tu regardes un film. • Les garçons tirent des buts ou dansent avec brio.

3 mange • poussent • allons • prennent.

4 porte • portent • coupons • pousse • part.

5 grimpe • est • trient • vérifient • transportent • vont • viennent.

26 Les homophones a / à et on / ont

> p. 33

1 a ; à • à ; a ; à • a ; à.

2 ont ; on • ont ; on • ont ; ont.

3 À • a ; à • à • a ; à
ont ; ont • on • on ; on ; ont • on.

4 on a ; ont ; ont ; à ; a ; on a.

27 Les homophones et / est et son / sont

> p. 34

1 et • est ; et • es ; et ; est.

2 sont ; son • son • sont ; son.

3 Es • est ; et ; est • et ; et • est ; et
son ; son ; sont • sont • sont ; sont.

4 es ; et ; est • Son ; son ; sont • es ; et ; sont.

28 Les différentes écritures du son « o »

> p. 35

1 À entourer : un cadeau • un abricot • un dauphin • du cacao • une saucisse • un cerceau • un cocotier • des haricots.

2 un pouce • un royaume • un radeau • la faute • une armoire.

3 le chameau • l'épaule • le fantôme • le drapeau.

4 bateau ; flotte ; l'eau ; dauphins ; sautent ; beaucoup • hôtesse ; pilote ; beau ; gâteau • au ; rateau ; carottes ; artichauts • code ; panneaux ; automobile.

Vocabulaire

29 L'ordre alphabétique dans le dictionnaire

> p. 36

1 F • V • V.

2 Début • milieu • fin.

3 K/L/N/T • A/P/S/V • C/G/O/Q • B/L/M/Z • D/F/R/U • E/H/I/X.

4 poule • sorcier • femme • patron.

5 ananas-caramel-planète-territoire-vent • barque-bijou-blague-bonnet-bulle • dragon-dresser-dribbler-drôle-druide.

30 Lire un article dans le dictionnaire

> p. 37

1 n. m. • adj • prép • adv • v. • n. f.

2 V • F • V.

3 peureux • coupe • graines • payé d'avance.

4 livre : localiser ; nom masculin ; assemblage de feuilles imprimées réunies et protégées par une couverture.
raconter : raciste ; verbe ; faire un récit.
jamais : jamaïquain ; adverbe ; à aucun moment.
futile : fuyard ; adjectif ; qui a peu d'importance.

31 Le sens d'un mot dans le dictionnaire

> p. 38

1 n.m = nom masculin • 3 • conversation sur un sujet précis *Demander un entretien au directeur*.

2 pêché • grossi • emprunté • emmené • grandi.

3 partie d'un appartement • morceau de métal qui sert de monnaie • œuvre écrite pour être jouée au théâtre par des comédiens • document.

4 la puce • la croûte.

32 Le sens d'un mot d'après le contexte

> p. 39

1 vent • coiffure • colline • allée de magasin.

2 un grain de beauté ou de sable • une mine de charbon ou de crayon.

3 un fruit • sa prise • la note de musique • surface sur laquelle on marche • signes • courriers.

4 déployé • mou • affectueux • présenter • a tendance.

33 Les synonymes

> p. 40

1 beaucoup – énormément • chat – matou • bâtir – construire • tranquille – calme • livre – bouquin.

2 peur • visage • maison • images • saison.

3 jeter • un couteau • minuscule • une hache • impoli.

4 le maitre • à cet endroit ; là • monte • travail • épuisé • le nombre.

34 Les contraires

> p. 41

1 paix • innocent • vendu • la diminution • triste.

2 descendre • marcher • ouvrir • la douceur ou la patience ou la placidité • l'adresse • la propreté • rapide • laid • récent.

3 illisible • désordre • maladroit • désagréable • malhabile • invisible • inutile • déshabiller • impoli.

4 refusé • dedans • présent • pertes.

35 Les homonymes

> p. 42

1 ver • verre • vert • vers.

2 lait • laid • pot • peau • fin • faim.

3 une tante • un chêne • un corps • la mer ou la mère.

4 J'entre dans la salle de classe. • Le prince avait mal au foie. • Je tiens le stylo dans mon poing serré. • Ce gâteau est très bon.

5 cent-sang • cou-coup.

36 Le sens propre et le sens figuré

> p. 43

1 SF • SP • SF • SP • SP • SF.

2 avoir la main verte = bien s'occuper des plantes • tomber dans les pommes = s'évanouir • avoir une faim de loup = avoir très faim • nager dans ses vêtements = avoir des habits trop grands.

3 J'ai très envie de goûter, ce plat me fait saliver • Ben s'est endormi d'un coup, rapidement • Théa m'a aidé • Occupe-toi de tes affaires • Tu as mal aux pieds.

4 ne pas être dans son assiette • s'arracher les cheveux • casser les pieds • mettre les pieds dans le plat.

37 Les préfixes

> p. 44

1 À entourer : kilogramme • décoller • insensé • incroyable • défaire • malfaiteur • déjouer • transalpin.

2 Interdit • mallette • suricate • prêter.

3 surveiller • démonter ou surmonter • revenir ou prévenir ou survenir • déformer ou reformer • remettre ou démettre • désemballer • transpercer • reconnaitre • réinscrire.

4 2 roues • nouvelle chute • dans un cercle • mille mètres • avant l'adolescence.

5 irréel • incapable • déplié • malodorant • mécontent • incroyable • inapproprié • inespéré • méconnaissable.

38 Les suffixes

> p. 45

1 À entourer : gravitation • coquelet • lionceau • factrice • sauveteur • malfaiteur • chaton.

2 pion • table • chien • côté.

3 méchamment ou méchanceté • pureté • efficacité • timidement ou timidité • stupidement ou stupidité • plantation • beauté • raisonnable • tendresse ou tendrement.

4 celui qui fait du vélo • petit camion • possibilité • bébé • qu'on arrive à lire.

5 chanceux ; heureux • déclaration ; ponctuation • auditoire ; prétoire • directrice ; cantatrice.

39 Les mots de la même famille

> p. 46

1 long – longueur • triangle – triangulaire • plante – plantation • danger – dangereux • table – attabler.

2 dentelle • maitre • jonquille • nuage.

3 gouttière ou égouttoir • floral ou effleurer • préhistorique ou historique • déplacement ou emplacement.

4 louve ; louveteau • roulade ; enrouler • sucrerie ; sucrier.

40 Le champ lexical

> p. 47

1 À entourer : marteau • scie • clou • perceuse • réparer • outil • atelier.

2 lettre • arbre • poule • montagne.

3 arbre • musique • mer • pâtisseries.

4 épaule – cou... • tableau – craie... • hamster – poisson... • vélo – métro...

5 gymnastique – judo – basket... • mère – père – enfant...

41 Les registres de langue

> p. 48

1 C • F • C • S • F • S.

2 Langage familier : nul • s'éclater • les mômes.
Langage courant : s'amuser • les enfants • faible.
Langage soutenu : se divertir • la descendance • médiocre.

3 une voiture • un monsieur • un livre • le travail.

4 À entourer : Il raconte des blagues. • Arrête de rire ! • Il a caché les clés.

5 J'en ai assez, je m'en vais ou je pars. • Tes grolles sont foutues. • As-tu entendu ou écouté cette mélodie ?

42 Jouons avec les mots

> p. 49

1 four ou cour ou toux... • taille ou maille ou paille ou faible... • père ou mare ou mûre... • passer ou tasser ou casier... • basse ou casse ou tisse... • brise ou crise ou frite...

2 lou + che → louche • ver + re → verre • cou + vert → couvert • na + ppe → nappe • ta + ble → table • chai + se → chaise.

3 chien • limace • loup • poule • chat • renard.

4 avocat • nénufar.

Conjugaison

43 Se situer dans le temps

> p. 50

1 P • P • PR • F • PR • F.

2 De nos jours • L'hiver dernier • Mardi prochain • Autrefois.

3 grandit • était • arrivera • a installé.

4 2 • 4 • 1 • 3.

44 Identifier l'infinitif d'un verbe

> p. 51

1 ouvre → ouvrir • font → faire • tombe → tomber • miaule → miauler.

2 dormir • boire • chanter • prendre.

3 vais • d'apporter • téléphone • m'aider • attraper.

4 gagner • faire • regarder • venir.

5 en rouge : préparer ; naviguer ; oublier ; accompagner.
en vert : monte ; cria ; faut ; est ; dois ; était ; m'autorisait.

45 Les différents groupes de verbes

> p. 52

1 parler • chanter • accompagner • raconter • pousser • dévorer • former.

2 prendre • aller • voir • faire • dire • venir • naitre.

3 1er groupe : couver • profiter • allumer – 2e groupe : ravir • pétrir • flétrir – 3e groupe : promettre • tondre • répondre.

4 vole → 1er • atterrit → 2e • regarde → 1er • voit → 3e • venez → 3e • rôtit → 2e • console → 1er • saute → 1er • flotte → 1er.

5 arriver, 1er groupe • vouloir, 3e groupe • applaudir, 2e groupe.

46 Le présent des verbes du 1er groupe

> p. 53

1 À entourer : photographier • aimer • conjuguer • calculer • refuser • attraper • se promener • gouter.

2 je ou il / elle • nous • vous • tu • ils ou elles • j' ou il / elle.

3 attaches • présentez • chantons • arrivent • articule • m'occupe.

4 regardons • brossent • appelle • lancez • joues • plante.

5 Nous mangeons des frites ce midi. • Kilian conjugue parfaitement le verbe chanter.

47 Le présent des verbes du 3e groupe

> p. 54

1 À entourer : venir • aller • vouloir • dire • faire • pouvoir prendre • mentir • croire.

2 tu • ils / elles • Il / elle.

3 prends • disons • peut • voulez • fais • voient.

4 veut • vois • viens • fait • vais • prenons.

5 Je prends la vie du bon côté. ; tu prends... ; il / elle prend... ; nous prenons... ; vous prenez... ; ils / elles prennent....
Je fais attention. ; tu fais... ; il / elle fait... ; nous faisons... ; vous faites... ; ils / elles font... • Je vais de l'avant. ; tu vas... ; il / elle va... ; nous allons... ; vous allez... ; ils / elles vont de l'avant.

48 L'imparfait des verbes du 1er groupe

> p. 55

1 tu regardais • vous pensiez • nous chantions • elle accompagnait • je criais • nous lancions.

2 je ou tu • vous • ils / elles • je ou tu • nous • il / elle.

3 Minne regardait les étoiles. • Les roses et les lilas poussaient dans le jardin. • Nous mangions des frites. • Je campais sous la tente.

4 Tu attachais • Vous pliiez • Je photographiais • Elles assistaient • Nous montions • Il jouait.

5 Tim et Tom brossaient • J'appelais • Vous lanciez • Tu mangeais.

49 L'imparfait des verbes du 3e groupe

> p. 56

1 nous voyions • tu naviguais • ils faisaient • tu voulais.

2 j' ou tu • nous • ils / elles • je ou tu • vous • il / elle.

3 tu dis • vous pourriez • je fais • vous allez.

4 pouvais • disait • allaient • prenions.

5 pouvions • venais • allait.

50 Le futur des verbes du 1er groupe

> p. 57

1 vous couperez • tu mangeras • je jouerai.

2 tu • je • il / elle • vous • nous • ils / elles.

3 je planterai • ils passeront • nous calmerons • tu t'occuperas • elle posera • vous mélangerez.

4 dirigera • aimerai • chercheras ; retrouveras • habillerez • arriverons.

5 rentreras • jouerons • couperont • remuerai • vous mangerez.

51 Le futur des verbes du 3e groupe

> p. 58

1 nous verrons • ils viendront • tu pourras • je ferai.

2 Il / elle • tu • nous • je • vous • ils / elles.

3 elle prendrait • vous veniez • elle voudrait • nous voyons • j'allais.

4 pourrai • dirai • prendrons • voudra • viendrez • fera • verront • iras.

52 Les verbes être et avoir à tous les temps

> p. 59

1 présent : je suis • elles sont • tu as • ils ont
imparfait : nous avions • elle était • vous étiez
futur : tu seras • ils auront • vous aurez • je serai

2 vous êtes • tu seras • tu avais • il avait.

3 tu auras • êtes • était • avaient • serons • a eu.

4 était → être, imparfait • aura → avoir, futur • ai été → être, passé composé.

53 Distinguer temps simples et temps composés

> p. 60

1 Temps simples : il pleure • vous marchiez • tu prendras • ils cherchent • nous grandirons.
Temps composés : nous avons trouvé • tu as joué • je suis allé • elle est venue • vous avez caché • j'ai choisi.

2 En rouge : pleut • commence • est • étaient • c'était.
En vert : est tombée • ont disparu • a remplacé • sont rentrés.

3 ont disparu (TC) • reviennent (TS) • accompagne (TS).

4 auxiliaires à entourer : a • est • est – participes passés : lu • partie • arrivé • verbes à l'infinitif : lire • partir • arriver.

5 Nous avons chanté dans une cathédrale. • Elle a mangé des chocolats. • Hier, j'ai promené mon chien.

54 Le passé composé des verbes du 1er groupe

> p. 61

1 j'ai • Lilou est • Max a • nous avons • Cui-cui et Chloé la tortue se sont.

2 as • es • ai • a • sommes.

3 Nous sommes arrivés… • Ils ont piloté… • J'ai photographié… • Tu as mangé… Vous avez ramassé…

4 J'ai chanté… • Vous avez nagé… • Satine et Frimousse, nos 2 chattes, sont rentrées… • As-tu regardé…

55 Le passé composé des verbes du 3e groupe

> p. 62

1 j'ai fait • tu es allé(e) • il / elle a pris • nous avons fait • vous avez pris • elles sont allées.

2 À entourer : j'ai vu • il a pris • il est allé • il a fait • il a eu.

3 es-tu allée • ils sont venus • j'ai vu • elle a pris • vous avez fait • nous avons pu.

4 j'ai vu • elle a voulu • tu as dit.

56 Les participes passés

> p. 63

1 fleurir • laver • bondir • frotter • vouloir • voir.

2 raconté • ajouté • dit • fait • surpris • pris.

3 pu • fabriqué • parti • promis • écrit • restée.

4 nous avons calculé • as-tu pris • ils ont voulu • je suis allé(e).

ORTHOGRAPHE

26 Les homophones a / à et on / ont

CONSEILS PARENTS

Rappelez à votre enfant que remplacer les homophones par un autre mot doit lui permettre de donner un sens à la phrase.

Certains mots se prononcent pareil mais ne s'écrivent pas pareil.

- **a** : verbe **avoir** au présent de l'indicatif à la 3e personne du singulier.
- **à** : préposition invariable.

- **on** : pronom personnel.
- **ont** : verbe **avoir** au présent de l'indicatif à la 3e personne du pluriel.

Papa **a** acheté un beau vélo **à** son fils.

On est parti **à** la mer et les enfants **ont** couru sur la plage.

1 Entoure l'homophone correct : a ou à.

- Félicie a / à mis un beau chapeau rose a / à pois.
- La boulangère vend des tartes a / à la fraise mais elle a / à aussi des choux a / à la crème.
- Comment a / à -t-on pu oublier ton sac a / à la plage ?

Tu peux remplacer **a** par **avait**.

2 Entoure l'homophone correct : on ou ont.

- Ils on / ont fait leurs devoirs donc on / ont peut les emmener jouer dehors.
- Où les garçons on / ont -ils caché nos gants, on / ont ne les trouve plus.
- Les comédiens on / ont le trac avant d'entrer en scène, ils on / ont besoin de concentration et de calme.

Tu peux remplacer **on** par **quelqu'un** et **ont** par **avaient**.

3 Complète les phrases.

a ou à ?

- .... qui est ce cartable ? • Elle .... envoyé sa lettre .... Salomé. • Noa, prête-moi ta corde .... sauter. • Alex .... peur de ne pas réussir .... l'examen.

on ou ont ?

- Enzo et Arsène .... retrouvé leurs amis qui .... une caravane. • Peut-........ y aller maintenant ? • .... sort car .... a fini le puzzle que nos parents .... commencé ce matin. • En Afrique, ... a rencontré de magnifiques pumas.

4 Complète le texte par a ou à, on ou ont.

Au cirque, ... vu des acrobates qui .... fait d'impressionnantes pyramides. Les clowns nous .... fait rire avec leurs grandes chaussures .... rayures. Ce spectacle nous .... beaucoup plu et .... bien envie de revenir samedi prochain !

ORTHOGRAPHE

27 Les homophones et / est et son / sont

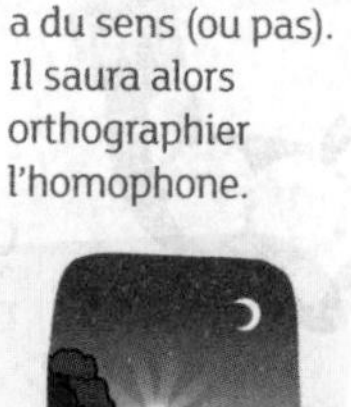

CONSEILS PARENTS

Donnez un exemple à votre enfant, demandez-lui de remplacer l'homophone puis de vous dire si la phrase a du sens (ou pas). Il saura alors orthographier l'homophone.

Certains mots se prononcent pareil mais ne s'écrivent pas pareil.

- **et** : conjonction de coordination qui réunit deux mots, deux expressions ou deux phrases.
- **es / est** : verbe **être** au présent de l'indicatif à la 2e et 3e personne du singulier.
- **son** : déterminant possessif singulier qui veut dire « le sien ».
- **sont** : verbe **être** au présent de l'indicatif à la 3e personne du pluriel.

Le soleil **est** déjà couché **et** la lune vient d'apparaitre.

John a pris **son** frère par la main et ils **sont** partis au parc.

1 Entoure l'homophone correct : et, es ou est.

- Pourquoi les radis et / es / est les carottes n'ont pas poussé cette année ?
- Où es / est / et ton père ? Il a dit qu'il arrivait es / est / et je ne le vois pas.
- Si tu es /est / et comme moi, es / est / et moi je suis comme Jade, alors on es / est / et toutes les trois pareilles !

Tu peux remplacer **et** par **et puis**.

2 Entoure l'homophone correct : son ou sont.

- Tes livres de français son / sont sur le bureau où Jonas a posé son / sont cartable.
- Où son / sont histoire a-t-elle commencé ?
- Ils son / sont peu à savoir ce que son / sont grand-père lui a transmis.

Tu peux remplacer **son** par **mon**, et **sont** par **étaient**.

3 Complète les phrases.

et, es ou est ?

- ....-tu prête pour partir à l'école ? • Damien .... venu chez Erwan .... Loris, lui, ... parti. • Comment Yona .... Maéva ont-elles appelé leur chien .... leur chat ? • Pourquoi Tara ....-elle fâchée contre sa sœur .... sa cousine ?

son ou sont ?

- .... sac et .... blouson .... restés dans la voiture. • Quels .... les chanteurs que tu préfères ? • Ah oui ! Ce .... de formidables artistes qui .... numéro 1.

4 Complète le texte par et, es ou est, son ou sont.

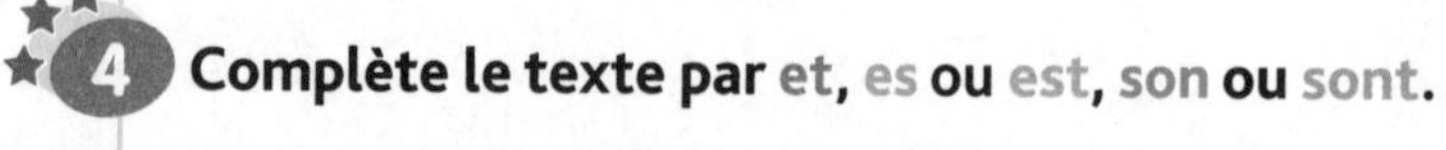

Mon cher oncle, tu .... un sacré personnage .... ma tante .... aussi une drôle de femme. .... sourire ravageur et .... excellente cuisine .... réputés. Toi, tu .... connu pour ton fort caractère .... ton humeur taquine qui .... toujours très recherchés.

CORRIGÉS P. 5

28 ORTHOGRAPHE

Les différentes écritures du son « o »

CONSEILS PARENTS
Dans un journal ou un livre, proposez à votre enfant de retrouver différentes écritures du son « **o** ».

Le son « **o** » peut s'écrire de 4 manières différentes.

o	ô
du fromage un stylo une pomme	une tôle un rôti un trône
une aubergine un fauteuil	un ruisseau un chapeau
au	eau

1 Entoure les mots dans lesquels tu entends « o ».

un cadeau • un abricot • la poire • une soupe • un dauphin • du cacao • une saucisse • un roi • une montagne • un cerceau • un cocotier • des haricots • une voile.

Prononce les mots à voix haute pour bien faire la différence entre le son « **o** » que tu entends et la lettre **o** que tu vois mais qui, parfois, ne fait pas le son « **o** ».

2 Entoure l'intrus dans chaque liste.

- du chocolat – un fromage – un pouce – une volière – un bonnet.
- un manteau – un traineau – un panneau – un lionceau – un royaume.
- un faucon – un dauphin – un radeau – un fauve – un défaut.
- la faute – un môme – un hôte – un cône – un impôt.
- un asticot – une pagode – un crapaud – une armoire – un cadeau.

3 Devinettes : trouve les réponses qui contiennent toutes le son « o ».

- Je suis un animal du désert à 2 bosses, je suis le ....
- Je suis une partie du corps reliée au cou et au bras, je suis l'......................
- Je fais peur à Halloween avec mon costume blanc, je suis le ....
- La France en possède un aux couleurs bleu / blanc / rouge, je suis le ....

4 Complète les mots avec o, ô, au, eau, eaux.

- Le bat...... fl......tte sur l'...... et les d......phins s......tent avec b......coup de grâce.
- Pour l'anniversaire de l'h......tesse de l'air, le pil......te lui a préparé un b......gat......!
- ...... jardin, avec le rat........, j'ai préparé mon semis de car......ttes et d'artich......ts.
- Pour le c......de de la route, j'ai appris les pann........ de signalisation et les règles de la conduite......t......m......bile.

29

VOCABULAIRE

L'ordre alphabétique dans le dictionnaire

CONSEILS PARENTS

Montrez à votre enfant que pour chercher plus facilement dans le dictionnaire, il est important de connaître **l'ordre alphabétique** par cœur.

Dans le dictionnaire, les mots sont classés par **ordre alphabétique** dans l'ordre des 26 lettres, de **A** à **Z**. En haut de chaque double page, se trouvent les **mots repères** qui indiquent le premier et le dernier mot de cette double page.

Pour trouver un mot dans le dictionnaire, il faut repérer la 1re lettre du mot, puis la 2e et ensuite la 3e. Le mot **TORTUE** → lettre **T** puis **TO** et enfin **TOR**.

Relis bien la leçon pour répondre aux questions.

1 Indique si la phrase est vraie (V) ou fausse (F).

- Dans le dictionnaire, les mots sont classés par ordre de taille. ......
- En haut de la page se trouve un mot repère. ......
- Les mots sont classés par ordre alphabétique. ......

2 Dans quelle partie du dictionnaire peut-on chercher les mots suivants : au début, au milieu ou à la fin ?

abricot : .... miroir : .... tube : ....

3 Classe ces lettres dans l'ordre alphabétique.

- N / T / K / L : ....
- P / S / A / V : ....
- Q / G / O / C : ....
- B / Z / M / L : ....
- R / D / F / U : ....
- H / E / I / X : ....

Écris sur une bande de papier toutes les lettres de l'alphabet dans l'ordre, puis coche les 4 lettres de la liste afin de les remettre dans l'ordre facilement.

4 Barre le mot qui n'est pas rangé à sa place dans chaque liste.

- olive – poule – orange – otite – oreille.
- souffle – sorcier – soupe – soucis – soudain.
- famine – famille – farine – femme – fatigue.
- pastille – pastèque – passé – passion – patron.

5 Classe ces mots dans l'ordre alphabétique.

- ananas – vent – caramel – territoire – planète.

....

- bijou – barque – bonnet – blague – bulle.

....

- dragon – drôle – dresser – druide – dribbler.

....

CORRIGÉS P. 5

30 VOCABULAIRE

Lire un article dans le dictionnaire

CONSEILS PARENTS

Dites un mot à votre enfant. Demandez-lui de le trouver dans le dictionnaire et de vous en donner ses caractéristiques : **abréviation**, **définition(s)**, **exemple**...

Dans le dictionnaire, les mots sont suivis d'un article. On trouve d'abord une **abréviation** qui donne la **nature** du mot, puis sa **définition** avec parfois un **exemple**. La **définition** donne l'explication du mot tandis que l'**exemple** en propose une illustration.

Parfois, un mot a plusieurs définitions qui sont numérotées.

BANANE : fruit allongé recouvert d'une épaisse peau jaune.

Exemple : « Le singe mange des bananes ».

Voici quelques abréviations à connaitre. Elles donnent la nature du mot et son genre (masculin / féminin).

n.m.	n.f.	adj.	v.	adv.	prép.
nom masculin	nom féminin	adjectif	verbe	adverbe	préposition

1 Choisis la bonne abréviation du mot : n.m., n.f., adj., v., adv., prép.

- bonbon : ☐ • large : ☐ • dans : ☐ • toujours : ☐ • choisir : ☐ • lumière : ☐

2 Ces affirmations sont-elles vraies (V) ou fausses (F) ? Entoure la réponse.

- Une fiole est un petit flacon. V F
- Un animal nuisible est un animal bon pour la planète. V F
- Un évènement imminent est un évènement sur le point de se produire. V F

Utilise ton dictionnaire pour t'aider à répondre.

3 Lis chaque phrase et entoure la bonne réponse.

- Le mouton est un animal craintif. → amical / peureux / agressif
- Le paysan fauche son champ. → coupe / laboure / arrose
- Mon orange a beaucoup de pépins. → noyaux / peau / graines
- Alix a réservé son billet de train. → vendu / donné / payé d'avance

Le mot souligné peut avoir plusieurs définitions. Retrouve celle qui correspond bien au sens dans la phrase.

4 Complète le tableau à l'aide de ton dictionnaire.

Mot	Mot repère	Nature	Genre	Définition
livre	....	....	....	....
raconter	....	....	....	....
jamais	....	....	....	....
futile	....	....	....	....

CORRIGÉS P. 5

VOCABULAIRE

Le sens d'un mot dans le dictionnaire

CONSEILS PARENTS

À l'oral, donnez un v… à votre enfant et demandez-lui de chercher dans le dictionnaire s'il poss… plusieurs sens et lesquels.

De nombreux mots courants ont plusieurs sens. Le dictionnaire les numérote pour mieux les repérer.

ENTRETIEN n.m. 1) Action d'entretenir quelque chose. *L'entretien d'un bateau.*
2) Produits d'entretien, qui servent au ménage.
3) Conversation sur un sujet précis ou professionnel. *Demander un entretien au directeur.* syn. **entrevue.**

Parfois, après la définition, on trouve un synonyme derrière l'abréviation **syn.** et un contraire derrière l'abréviation **contr.**
GENTIL : **syn.** agréable et **contr.** méchant.

1 Relis l'article de dictionnaire de la leçon et réponds aux questions.

- Que signifie l'abréviation à côté de ENTRETIEN ? ....
- Combien ce mot a-t-il de sens différents ? ....
- Quel est le sens du numéro 3 ? Donne l'exemple lui correspondant. ....

2 Choisis dans la liste le synonyme le plus adapté pour remplacer le verbe prendre dans chaque phrase.

emprunté • pêché • emmené • grossi • poussé.

• Le pêcheur a pris une belle carpe. .... • Ma mère est mécontente car elle a pris 5 kilos. .... • Fabien m'a pris mon stylo vert. .... • Mon père a pris son permis de conduire. .... • Cette saison, mes tomates n'ont pas pris. ....

Aide-toi du sens de la phrase pour retrouver le sens du mot souligné.

3 Précise pour chaque phrase le sens du mot pièce en t'aidant du dictionnaire.

- On dort tous dans la même pièce. ....
- Dans ma tirelire, j'ai de nombreuses pièces de 2 euros. ....
- Cette pièce de théâtre m'a beaucoup plu. ....
- Pour prendre l'avion, tu as besoin d'une pièce d'identité. ....

4 Devinettes : trouve le mot qui correspond aux définitions.

- Je pique les chiens et les chats et je suis un petit élément dans le téléphone, je suis ....
- Je forme l'extérieur du pain et quand tu tombes, je forme la partie extérieure durcie de ta peau, je suis ....

CORRIGÉS P. 5

VOCABULAIRE

32 Le sens d'un mot d'après le contexte

CONSEILS PARENTS

Expliquez à votre enfant qu'il est utile de connaitre les différents sens d'un mot pour comprendre ce qu'il signifie dans un contexte peu habituel.
Exemple :
PAILLE : petit tube fin pour boire ou alimentation des animaux (foin). Donc quand on dit : « Bois ton soda avec ta paille », ce n'est pas celle du foin !

Dans une phrase, le sens d'un mot peut être difficile à comprendre. Il faut alors se servir des autres mots de la phrase, c'est-à-dire son contexte, notamment quand un même mot a plusieurs sens.

Le **pavillon** du pirate est noir avec une tête de mort.
→ Dans ce contexte, le **pavillon** est un morceau d'étoffe hissé en haut du bateau de pirates, et non une habitation.

1 Entoure le sens qui convient.

- La bise est glaciale. → le vent ou un baiser ?
- Ce garçon a une raie au milieu. → le poisson ou une coiffure ?
- Il a monté la côte. → la colline ou l'os du corps ?
- Maman est au rayon des chaussures. → un rai de lumière ou une allée de magasin ?

2 Redonne à chaque mot ses sens possibles.

de beauté • de charbon • de crayon • de sable.

- un grain .... ou ....
- une mine .... ou ....

3 Donne la signification des mots soulignés.

- Il a mangé une pêche très juteuse. → ....
- Aujourd'hui, sa pêche a été bonne, il ramène 2 truites. → ....
- Dans la gamme, je joue le sol. → ....
- Qui veut passer la serpillère sur le sol ? → ....
- Il existe 26 lettres dans l'alphabet. → ....
- Dans ma boite, il y avait 2 lettres pour moi. → ....

Cherche dans le dictionnaire si tu ne connais pas le sens d'un mot souligné.

4 Remplace le mot souligné par celui qui convient le mieux dans la liste.

a tendance • déployé • mou • affectueux • présenter.

- Il a tendu une corde à linge. ....
- J'ai mangé un caramel très tendre. ....
- Son frère était très tendre avec lui. ....
- Tu dois tendre la main vers mon chien afin qu'il te reconnaisse. ....
- Cet enfant tend à être vraiment colérique. ....

CORRIGÉS P. 5

VOCABULAIRE

Les synonymes

CONSEILS PARENTS
Invitez votre enfant à régulièrement remplacer un mot par un autre pour enrichir son vocabulaire.

Les **synonymes** sont des mots qui ont le même sens ou un sens proche : un vêtement = un habit.
Le synonyme d'un mot est toujours un mot de la même nature.

On utilise les **synonymes** dans un texte pour éviter les répétitions.

Nature des synonymes

un nom	un adjectif	un verbe	un adverbe
un car = un bus	facile = simple	crier = hurler	aussitôt = immédiatement

1 Relie chaque mot à son synonyme.

beaucoup •	• bouquin
chat •	• calme
bâtir •	• construire
tranquille •	• matou
livre •	• énormément

2 Trouve pour chaque mot souligné son synonyme dans la liste suivante.

images • peur • saison • maison • visage.

• Il a eu une grande frayeur. → .... • Sa figure présente quelques taches de rousseur. → .... • Elle habite une villa à la campagne. → ....

• Sur toutes les photos on voit des animaux. → .... • En cette période, mes fraises poussent vite. → ....

3 Entoure l'intrus dans chaque liste.

- nettoyer – laver – briquer – jeter – astiquer.
- un plat – un récipient – une gamelle – un contenant – un couteau.
- immense – géant – minuscule – énorme – gigantesque.
- couper – tailler – fendre – une hache – sectionner.
- gentil – agréable – aimable – impoli – serviable.

Recherche dans le dictionnaire le ou les mots dont tu ne comprends pas le sens pour ne pas te tromper d'intrus.

4 Remplace les mots soulignés par un synonyme.

- L'enseignant de Sophie est assez sévère. → ....
- C'est ici que nous habitons. → ....
- Max grimpe avec agilité sur les rochers. → ....
- Julie a pris un emploi d'orthophoniste. → ....
- Je suis fatigué par la quantité de devoirs à finir. → .... / ....

CORRIGÉS P. 5-6

34 VOCABULAIRE

Les contraires

CONSEILS PARENTS
Demandez à votre enfant de mémoriser certains contraires comme ceux des positions (**en haut / en bas**) ou du temps (**hier / demain**) car ils sont très fréquents.

Les mots de **sens contraire** sont des mots dont les sens s'opposent :
le début ≠ la fin.

On peut former certains **contraires** en ajoutant une syllabe devant (un préfixe) comme **in / dé / mal** :
heureux ≠ **mal**heureux

Le contraire d'un mot est toujours un mot de la même nature.

un nom	un adjectif	un verbe	un adverbe
la gentillesse ≠ la méchanceté	facile ≠ difficile	crier ≠ chuchoter	dessus ≠ dessous

1 Trouve pour chaque mot souligné son contraire dans la liste suivante.

vendu • innocent • paix • triste • diminution.

• Ils ont signé le début de la guerre. → .... • Cet homme est coupable d'après les témoins. → .... • Elle a acheté une trottinette. → .... • Sur tous les produits, l'augmentation des prix est importante. → .... • Pourquoi es-tu si joyeux aujourd'hui ? → ....

2 Trouve le contraire des mots suivants.

- *verbes* : monter ≠ .... courir ≠ .... fermer ≠ ....
- *noms* : la colère ≠ .... la maladresse ≠ .... la saleté ≠ ....
- *adjectifs* : lent ≠ .... beau ≠ .... ancien ≠ ....

3 Choisis un préfixe parmi in / im / dés / mal / il pour former le contraire des mots suivants.

lisible ≠ .... ordre ≠ .... adroit ≠ ....
agréable ≠ .... habile ≠ .... visible ≠ ....
utile ≠ .... habiller ≠ .... poli ≠ ....

Si tu ne trouves pas le contraire du mot, teste chaque préfixe à voix haute sur le mot donné.

4 Remplace les mots soulignés par leur contraire.

- Il a accepté un contrat de travail. → ....
- Nous jouons souvent dehors. ....
- Mon père est souvent absent quand je rentre à la maison. → ....
- À la loterie, on a souvent des gains. → ....

CORRIGÉS P. 6

VOCABULAIRE

35 Les homonymes

CONSEILS PARE[NTS]
Proposez à votre en[fant] une phrase avec de[s] homonymes et demandez-lui le se[ns] de chacun. Exempl[e] J'ai mis les **moules** [dans] un **moule** pour les [faire] cuire au four.

Les **homonymes** sont des mots qui se prononcent de la même manière mais qui n'ont pas le même sens : un **pain** et un **pin**

Souvent les **homonymes** s'écrivent différemment mais parfois de la même manière.

une **pile** électrique ou une **pile** de livres

1 Complète les phrases avec le bon homonyme.

verre • ver • vers • vert.

• Jim a cherché un .... pour l'accrocher à son hameçon. • Quel maladroit, j'ai renversé mon .... de lait. • À Noël, on achète un sapin bien .... • Le poète a écrit de beaux ....

2 Retrouve le bon homonyme dans la liste suivante.

laid / lait • peau / pot • faim / fin

• Le matin, il boit toujours du .... • Ce dindon est assez .... • Ce marchand a mis de la confiture dans un .... • La .... du bébé est douce. • Jules est arrivé à la .... du film. • Que mange-t-on aujourd'hui, j'ai très ....!

3 Trouve un homonyme à chaque mot.

• une tente : ....
• une chaine : ....
• un cor : ....
• un maire : ....

4 Écris une phrase avec un homonyme du mot souligné.

• Ton pull est <u>sale</u>. ....
• Il était <u>une fois</u> un prince amoureux. ....
• À la fin de la phrase, on met <u>un point</u>. ....
• En deux <u>bonds</u>, la grenouille a rejoint le rivage. ....

Aide-toi du dictionna[ire]. Attention, parfois le genre du mot peut changer.

5 Devinettes : trouve l'homonyme correspondant aux deux définitions.

• Je suis le nombre qui suit 99 et je coule dans tes veines.
→ Je suis le .... et le ....
• Je suis très long sur la girafe et quand on se bagarre on en donne souvent.
→ Je suis le .... et le ....

CORRIGÉS P. 6

36

VOCABULAIRE

Le sens propre et le sens figuré

CONSEILS PARENTS

Faites remarquer à votre enfant que lui aussi, sans y penser, utilise souvent des mots-phrases au sens figuré.

Le **sens propre** est le premier sens du mot. C'est le **sens concret**, celui qui renvoie à la réalité, qui correspond à la première définition du dictionnaire.
Le **sens figuré** est un sens dérivé du mot. C'est souvent un **sens imagé**. Parfois il indique une comparaison.

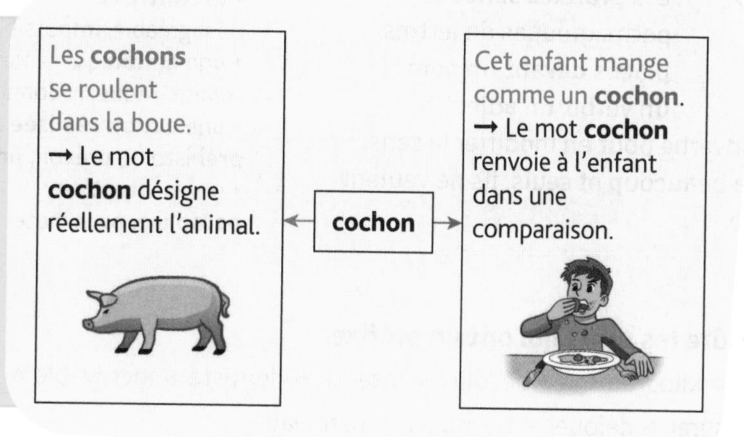

Les **cochons** se roulent dans la boue.
→ Le mot **cochon** désigne réellement l'animal.
cochon
Cet enfant mange comme un **cochon**.
→ Le mot **cochon** renvoie à l'enfant dans une comparaison.

1 Indique si la phrase est au sens propre (SP) ou au sens figuré (SF).

- Vous êtes tombés dans les pommes........ • Chloé a fait tomber son cartable........
- Tu as eu les yeux plus gros que le ventre........ • Les néons des magasins me font mal aux yeux........ • Nous avons avalé un gros gâteau au chocolat........ • On me fait souvent avaler des couleuvres........

2 Relie les expressions figurées à leur sens.

avoir la main verte •	• avoir des habits trop grands
avoir une faim de loup •	• s'évanouir
tomber dans les pommes •	• avoir très faim
nager dans ses vêtements •	• savoir bien s'occuper des plantes

3 Dans les phrases suivantes, que signifient les expressions au sens figuré ?

- J'en ai l'eau à la bouche..
- Ben s'est endormi comme une souche..
- Théa m'a donné un coup de main..
- Occupe-toi de tes ognons..
- Tu as les pieds en compote..

Souligne d'abord le mot utilisé au sens figuré pour comprendre le sens de l'expression.

4 Complète chaque expression au sens figuré.

- Ne pas être dans son..
- S'arracher les..
- Casser les..
- Mettre les pieds dans le..

37 VOCABULAIRE
Les préfixes

Les **préfixes** sont des petits groupes de lettres placés **devant** un nom, un verbe, un adjectif ou un adverbe pour en modifier le sens. Il y en a beaucoup et seuls, ils ne veulent rien dire.

Les **préfixes** peuvent exprimer :
- le **contraire** : **dés**agréable, **im**possible, **mal**heureux…
- une **action qui recommence** : **re**faire, **re**dire, **re**donner…
- une **action réalisée auparavant** : **pré**histoire, **pré**voir, **pré**venir…
- une **protection** : **para**pluie, **para**chute, **para**tonnerre…

CONSEILS PARENTS
Faites une liste avec votre enfant des préfixes qu'il connait et essayez de les classer comme dans la leçon.

1 Entoure les mots qui ont un préfixe.

colle • kilogramme • décoller • insensé • dentiste • incroyable • défaire • malfaiteur • mesurer • déjouer • transalpin • panneau.

2 Entoure l'intrus dans chaque liste.

- impossible – insatisfait – incroyable – interdit – imprudent.
- malentendu – mallette – maladroit – malheureux – malhabile.
- survoler – sursauter – surprendre – surnaturel – suricate.
- prêter – prédire – préparer – précaution – prélavage.

Retrouve le **radical** du mot caché derrière le préfixe : s'il n'y en a pas, c'est le mot intrus.

3 Forme de nouveaux verbes en ajoutant des préfixes : re / pré / sur / des / trans / dé.

.... veiller	.... monter	.... venir
.... former	.... mettre	.... emballer
.... percer	.... connaitre	.... inscrire

Il y a parfois plusieurs possibilités pour un même verbe.

4 Écris la bonne réponse.

- Une bicyclette est un vélo à .... roues.
- Une rechute est une .... chute.
- Encercler un ami, c'est le mettre .... un cercle.
- Un kilomètre, c'est .... mètres.
- La préadolescence est l'étape juste .... l'adolescence.

5 Écris le contraire des mots suivants en ajoutant le préfixe adapté.

.... réel	.... capable	.... plié
.... odorant	.... content	.... croyable
.... approprié	.... espéré	.... connaissable

CORRIGÉS P. 6

38 VOCABULAIRE
Les suffixes

Les **suffixes** sont des petits groupes de lettres placés **derrière** un nom, un verbe, un adjectif ou un adverbe pour en modifier le sens. Il y en a beaucoup et seuls, ils ne veulent rien dire.

Les **suffixes** peuvent exprimer :
- la **possibilité**, la **capacité** : agré**able**, réalis**able**, aim**able**...
- un **métier** : doct**eur**, agricult**eur**, fleur**iste**, cav**iste**, direct**rice**, coméd**ien**...
- un **diminutif** : fill**ette**, poul**ette**, garçonn**et**, agnel**et**, ours**on**...
- une **qualité** : gentil**lesse**, polit**esse**, blanch**eur**, charm**eur**...

CONSEILS PARENTS

Essayez de trouver d'autres suffixes avec votre enfant pour mieux en comprendre le fonctionnement. Par exemple, **éléphanteau** possède le suffixe **eau** à classer dans les diminutifs.

1 Entoure les mots qui ont un suffixe.

gravitation • coquelet • champion • lionceau • factrice • panneau • police • sauveteur • malfaiteur • dragon • chaton • potion.

Ne confonds pas suffixe et syllabe identique.

2 Entoure l'intrus dans chaque liste.

- aération – publication – pion – récréation – détection.
- intraitable – convenable – capable – raisonnable – table.
- chien – chirurgien – musicien – apiculteur – traducteur.
- méchanceté – amabilité – sérénité – côté – possibilité.

3 Écris de nouveaux mots en ajoutant des suffixes.

méchant →	pure →	efficace → ....
timide →	stupide →	plante → ....
beau →	raison →	tendre → ....

4 Écris la bonne réponse.

- Un cycliste est .... du vélo.
- Une camionnette est un .... camion.
- Une trottinette pliable est une trottinette qui a la .... d'être pliée.
- Un éléphanteau est un .... éléphant.
- Une écriture lisible est une écriture .... à lire.

5 Écris deux mots finissant par le suffixe donné.

- -eux : .... , ...
- -tion : .... , ...
- -toire : .... , ...
- -trice : .... , ...

CORRIGÉS P. 6

VOCABULAIRE

Les mots de la même famille

À partir d'un mot appelé **radical**, on peut former toute **une famille de mots**. Ces mots peuvent être un nom, un adjectif, un verbe.
Pour que deux mots soient de la même famille, il faut deux conditions :

- ces mots doivent avoir le **même radical** ET
- ils doivent exprimer la **même idée** : ainsi **froid** et **froideur** sont de la même famille mais pas **gel** (pas le même radical) ni **effroi** (pas la même idée).

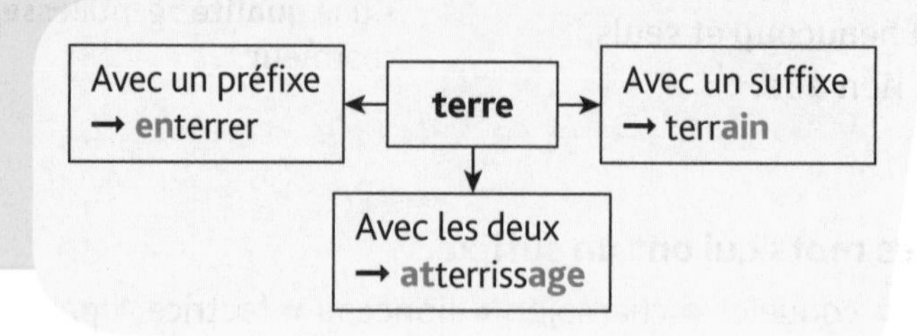

CONSEILS PARENTS

Faites bien comprendre à votre enfant que des mots qui se ressemblent ne sont pas forcément de la même famille s'ils n'expriment pas la même idée. Par exemple **abricot** et **bricolage** ne sont pas de la même famille.

1 Relie les mots de la même famille.

long •	• dangereux
triangle •	• longueur
plante •	• attabler
danger •	• triangulaire
table •	• plantation

2 Entoure l'intrus dans chaque liste.

- dent – dentiste – dentier – édenté – dentelle.
- classe – classeur – classement – maitre – déclasser.
- jardinage – jonquille – jardinerie – jardinier – jardin.
- nuage – neige – enneigé – motoneige – déneiger.

L'intrus est le mot qui ne remplit pas les **deux** conditions pour être de la même famille.

3 Complète chaque famille de mot avec un mot supplémentaire.

- goutte – gouttelette – égoutter – ....
- fleur – fleuriste – floraison – ....
- histoire – préhistoire – historien – ....
- placer – déplacer – placement – ....

4 Trouve deux mots de la même famille en t'aidant des définitions.

- loup Femelle du loup → .... Petit du loup → ....
- rouleau Figure de gymnastique → ....

Action de rouler une chose sur elle-même → ....

- sucre Gourmandise favorite des enfants → ....

Pot dans lequel on range le sucre → ....

CORRIGÉS P. 6

VOCABULAIRE

40 Le champ lexical

Un **champ lexical** est un ensemble de mots qui se rapportent à un même thème. Ces mots peuvent être des synonymes, appartenir à la même famille ou se rapporter à la même idée. Ils peuvent être des noms, des adjectifs ou des verbes.

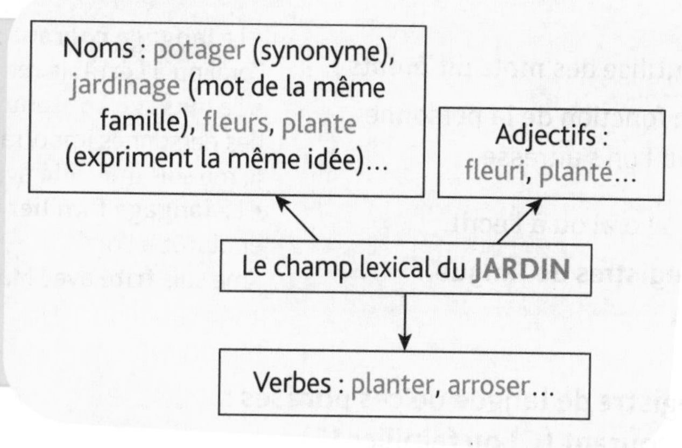

CONSEILS PARENTS

En voiture ou dans le train, donnez un mot-thème à votre enfant et à chacun de trouver des mots appartenant au champ lexical de ce thème.

1 Entoure les mots appartenant au champ lexical du bricolage.

jonquille • marteau • scie • clou • train • perceuse • guitare • persil • réparer • outil • voler • atelier.

2 Entoure l'intrus dans chaque liste.

- soleil – planète – univers – étoile – lune – lettre.
- courrier – arbre – facteur – poster – lettre – réponse.
- forêt – arbre – champignon – poule – châtaignier – scier.
- voilier – mer – pêcheur – poisson – dauphin – montagne.

3 À quel champ lexical appartiennent les mots de chaque liste ? Colorie l'étiquette qui convient.

- pommier – cerisier – prunier – noisetier — arbre / fleur
- guitare – violon – orchestre – batterie — danse / musique
- vague – paquebot – requin – phare — mer / rivière
- tarte – gâteau – choux – cookie — pâtisseries / légumes

4 Complète chaque liste avec deux mots appartenant au même champ lexical.

- corps – genoux – tête – squelette – .... – ....
- école – classe – cahier – maitre – .... – ....
- lapin – chat – chien – tortue – .... – ....
- avion – train – voiture – bus – .... – ....

Les mots peuvent être de la nature de ton choix (nom, adjectif, verbe).

5 Trouve 3 mots appartenant aux champs lexicaux suivants :

- le sport : .... – .... – ....
- la famille : .... – .... – ....

CORRIGÉS P. 6

VOCABULAIRE

41 Les registres de langue

CONSEILS PARENTS

Discutez avec votre enfant pour savoir s'il a conscience d'utiliser un langage différent en fonction de son interlocuteur.

On utilise des mots différents :

- en fonction de la personne à qui l'on s'adresse,
- si on s'exprime à l'oral ou à l'écrit.

Il existe donc **3 registres de langue.**

- Le **langage courant** : avec les adultes, à l'oral ou à l'écrit. Je me suis **disputé** avec Max.
- Le **langage soutenu** : avec les adultes ou des personnes importantes et plutôt à l'écrit. Je me suis **querellé** avec Max.
- Le **langage familier** : avec les copains et plutôt à l'oral. J'me suis **frité** avec Max.

★ 1 Indique le registre de langue de ces phrases : soutenu (S), courant (C) ou familier (F).

● Je vais voir mes amis. .... ● Nicolas ne pige rien aux exos. .... ● Viens déjeuner avec nous ce midi. .... ● Il est plaisant que tu réagisses avec sérénité. .... ● Tu me gaves avec tes histoires ! .... ● Ce spectacle est très divertissant. ....

★★ 2 Classe ces mots dans le tableau en fonction de leur registre de langue.

s'amuser ● nul ● les enfants ● se divertir ● la descendance ● médiocre ● s'éclater ● les mômes ● faible.

Langage familier	Langage courant	Langage soutenu
....	....	....
....	....	....
....	....	....

★★ 3 Trouve un synonyme du langage courant pour ces mots du langage familier.

une bagnole : .... un bouquin : ....

un type : .... le boulot : ....

N'hésite pas à consulter le dictionnaire s'il y a un ou plusieurs mots dont tu ne connais pa[s] la signification.

★★★ 4 Que veulent dire ces expressions ? Entoure la bonne réponse.

- Il raconte des salades. → Il raconte des blagues / des mensonges / des secrets.
- Arrête de te marrer ! → Arrête de dire des bêtises / de te moquer / de rire.
- Il a planqué les clés. → Il a volé / caché / perdu les clés.

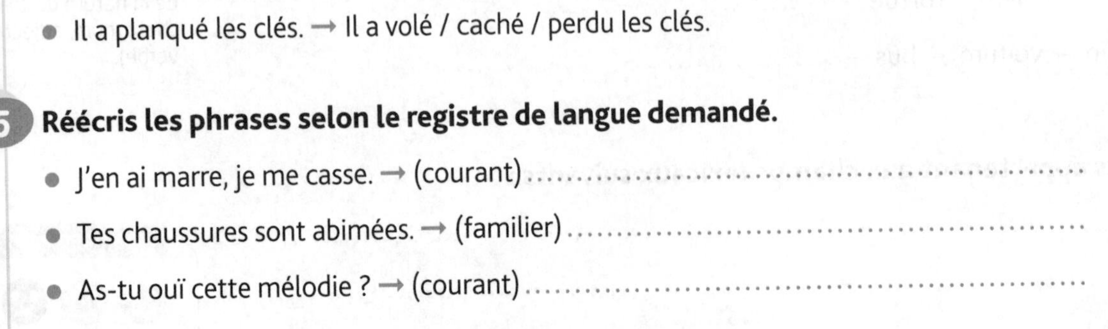

★★★ 5 Réécris les phrases selon le registre de langue demandé.

- J'en ai marre, je me casse. → (courant) ....
- Tes chaussures sont abimées. → (familier) ....
- As-tu ouï cette mélodie ? → (courant) ....

CORRIGÉS P. 6

42 VOCABULAIRE

Jouons avec les mots

CONSEILS PARENTS
N'hésitez pas à jouer avec votre enfant en vous inspirant des exercices de cette page. C'est encore plus stimulant à deux !

Avec les lettres et les mots, on peut créer de multiples jeux pour deviner de nouveaux mots et écrire des phrases amusantes ou poétiques.

On peut ainsi créer des **devinettes**, des **rébus**, des **charades**, des **anagrammes**, des **tautogrammes**…

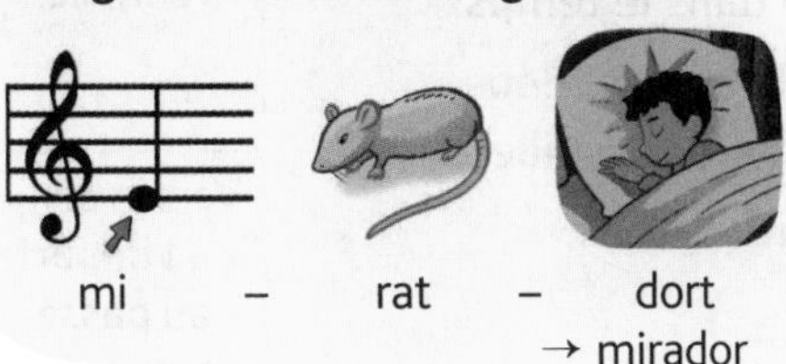

mi – rat – dort
→ mirador

1 Un mot pour un autre. Change une lettre du mot donné et tu auras un nouveau mot !

Exemple : faute → saute

tour → .... faille → .... mère → ....

casser → .... tasse → .... frise → ....

2 Le jeu des syllabes. Associe les syllabes de chaque colonne pour former 6 mots dont le thème est la cuisine.

Exemple : BOU + TEILLE → BOUTEILLE

BOU •	• SE
LOU •	• RE
VER •	• CHE
COU •	• TEILLE
NA •	• BLE
TA •	• PPE
CHAI •	• VERT

3 Méli-mélo. Remets les lettres dans l'ordre pour former un nom d'animal.

Exemple : OCHMUE → MOUCHE

CIHNE → .... CMALIE → .... OLUP → ....

PUELO → .... ATHC → .... RNARED → ....

Pour concevoir une charade, tu dois créer un nombre de devinettes correspondant au nombre de syllabes du mot à trouver (exemple : **château** a 2 syllabes donc il faut 2 devinettes, puis on termine en disant : « Mon tout est...»).

4 Charades

- Mon 1er est une voyelle. ....
Mon 2e est le petit de la vache. ....
Mon 3e vient avant la lettre L. ....
Mon tout est un fruit. ....

- Mon 1er est au milieu du visage. ....
Mon 2e est dévêtu. ....
Mon 3e éclaire la mer. ....
Mon tout est une fleur de la mare. ....

- À toi de faire deviner les mots château et girafe à l'aide de deux charades.

CORRIGÉS P. 6

CONJUGAISON

Se situer dans le temps

La phrase permet de situer l'action dans le temps.

- **Dans le passé** : Bébé, Lucie **buvait** un biberon.
- **Au moment présent** : Elle **adore** les crêpes.
- **Plus tard, dans le futur** : Elle **aimera** peut-être les endives !

Passé	Présent	Futur
Avant, hier, jadis…	Maintenant, aujourd'hui, en ce moment…	Plus tard, demain, à l'avenir…
Verbes conjugués : – à l'**imparfait** ; – au **passé composé** ; – au **passé simple**.	Verbes conjugués au **présent**.	Verbes conjugués au **futur**.

CONSEILS PARENTS
Tracez une bande chronologique sur laquelle votre enfant écrira 3 phrases sur sa vie qui correspondent aux 3 périodes : **passé**, **présent**, **futur**.

1 À quel temps sont ces phrases : passé (P), présent (PR) ou futur (F) ?

- Il y a longtemps vivaient un prince et une princesse au cœur de la forêt. ....
- La semaine dernière, j'ai raté 3 fois le bus. ....
- Viens tout de suite prendre ton bain ! ....
- Quand je serai grand, je serai astronaute. ....
- Aujourd'hui, je pars en vacances en Grèce. ....
- Demain, les enfants auront sport au gymnase. ....

2 Complète les phrases avec le bon indicateur de temps.

l'hiver dernier • mardi prochain • de nos jours • autrefois.

- ...., on ne peut plus se passer d'ordinateur.
- ...., Léo et Lili ont fait de la luge à la station.
- ...., Paloma jouera avec ses cousins au parc.
- ...., il n'y avait pas de téléphone.

3 Complète avec le verbe qui convient.

arrivera • grandit • était • a installé.

- Arthur .... très vite cette année.
- Hier, Chloé .... contente d'avoir réussi sa dictée.
- Le train .... sur le quai numéro 2.
- L'an passé, mon voisin .... un trampoline dans son jardin.

4 Remets les phrases dans l'ordre (1 / 2 / 3 / 4).

- Ce matin, j'ai acheté des œufs. ☐
- Après une nuit au frigidaire, on la mangera demain midi en dessert. ☐
- Hier, je voulais faire une mousse au chocolat mais je n'avais pas d'œufs. ☐
- Maintenant, je prépare la mousse. ☐

Représente-toi dans cette scène pour en comprendre les différentes étapes.

CORRIGÉS P. 7

44 CONJUGAISON

Identifier l'infinitif d'un verbe

CONSEILS PARENTS

Lisez très lentement un extrait d'histoire à votre enfant. À chaque fois qu'il entend un verbe à l'infinitif, il lève la main.

Dans une phrase, il y a des mots qui disent ce qu'on fait, ce sont des verbes : danser, courir, parler...

Quand un verbe n'est pas **conjugué**, on dit qu'il est à **l'infinitif**.

Pour trouver l'infinitif d'un verbe, on utilise l'expression « est en train de » :
L'enfant **joue** aux cartes.
→ L'enfant **est en train de jouer** aux cartes.

1 Souligne le verbe conjugué dans la phrase puis écris son infinitif.

- Lisa ouvre le placard. → Lisa est en train d'...
- Clotilde et Noémie font leurs devoirs. → ....
- La pluie tombe à verse. →...
- Le chat miaule sur le toit. → ....

2 Entoure le verbe à l'infinitif sur chaque ligne.

- dormez – dormirez – dormir – dormiez.
- buvait – boire – boit – boira.
- chantais – chantons – chantez – chanter.
- prennent – prenez – prends – prendre.

Utilise bien l'expression **il est en train de** pour être certain(e) de tes réponses.

3 Complète la phrase avec la forme verbale qui convient.

- Je (aller / vais) .... au skate parc ce soir. • Ma sœur décide (d'apportez / d'apporter) .... un livre à sa copine. • Luc (téléphone / téléphoner) .... à ses parents. • Pouvez-vous (m'aidez / m'aider) .... à traverser la route. • Il n'arrive pas à (attrapez / attraper) .... le verre sur l'étagère.

4 Donne l'infinitif des verbes conjugués.

- Mon père a gagné au loto. → .... • Elle fait un gâteau. → .... • Nous regardons nos photos. → .... • Je viens à ton anniversaire. → ....

5 Souligne en rouge les verbes à l'infinitif et en vert les verbes conjugués.

– Monte à bord, cria mon père de sa voix tonitruante. Il nous faut préparer le bateau. Deux mois à naviguer, ce n'est pas rien. Tu ne dois rien oublier à terre !
Mon père était marin depuis toujours. Pour mes dix ans, il m'autorisait pour la première fois à l'accompagner en haute mer.

CONJUGAISON

Les différents groupes de verbes

CONSEILS PARENTS
Notez sur 15 morceaux de papier 15 verbes des 3 groupes. Chacun à votre tour, tirez un papier et énoncez le groupe du verbe.

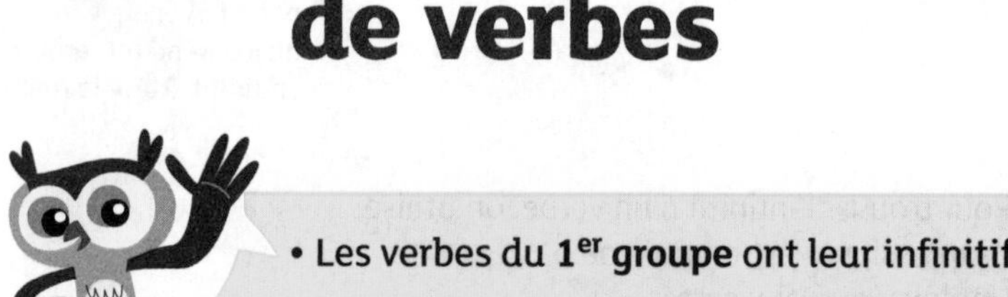

• Les verbes du **1er groupe** ont leur infinitif qui se termine par **-er**.

• Les verbes du **2e groupe** ont leur infinitif qui se termine par **-ir** **ET** leur conjugaison aux 3 personnes du pluriel qui se termine par **-iss**.

• Les verbes du **3e groupe** sont tous les autres verbes.

• Les verbes **être** et **avoir** sont des verbes auxiliaires du 3e groupe.

1er groupe	2e groupe	3e groupe
marcher, parler, jouer, manger…	finir, rougir, accomplir, resplendir…	aller, prendre, dire, faire, venir, pouvoir, voir, vouloir…

1 Entoure les verbes du 1er groupe.

parler • sentir • chanter • connaitre • accompagner • raconter • cuire • pousser • battre • dévorer • applaudir • former • savoir • choisir.

2 Entoure les verbes du 3e groupe.

prendre • colorer • frémir • porter • aller • pâlir • voir • faire • jouer • dire • accompagner • venir • sauter • rougir • crier • naitre.

3 Classe ces verbes dans le tableau.

couver • promettre • tondre • profiter • ravir • pétrir • répondre • flétrir • allumer.

1er groupe	2e groupe	3e groupe
....	....	....
....	....	....
....	....	....

4 Indique le groupe de chaque verbe.

L'oiseau vole. → .... L'avion atterrit. → .... Thomas regarde. → ....

Il voit. → .... Vous venez. → .... Le gratin rôtit. → ....

Il me console. → .... Le crapaud saute. → .... Le radeau flotte. → ....

Mets d'abord le verbe à l'infinitif pour savoir à quel groupe il appartient.

5 Trouve les verbes, écris leur infinitif et leur groupe.

• Le bus arrive à son terminus. → ...., ... groupe

• Je veux une trottinette électrique à Noël. → ...., ... groupe

• Les spectateurs applaudissent les musiciens. → ...., ... groupe

CORRIGÉS P. 7

46

CONJUGAISON

Le présent des verbes du 1er groupe

CONSEILS PARENTS
Lors d'un repas, demandez à votre enfant de conjuguer un verbe du 1er groupe en désignant physiquement les personnes qu'il énonce : « **je** parle, **tu** parles... » et en épelant les terminaisons.

Les verbes du **1er groupe** se terminent par **-er** à l'infinitif. Ils se conjuguent tous comme le verbe **marcher**. Exemples : parler, rouler, sauter...

marcher
je march**e**
tu march**es**
il / elle / on march**e**
nous march**ons**
vous march**ez**
ils / elles march**ent**

Je marche dans la rue.

1 Entoure les verbes du 1er groupe qui se conjuguent comme marcher.

finir • photographier • aimer • aller • dire • conjuguer • calculer • prédire • refuser • voir • attraper • prendre • applaudir • se promener • gouter.

2 Trouve les pronoms qui s'accordent avec les verbes conjugués.

- .... joue dans la cour.
- .... grimpez sur le toboggan.
- .... campent dans le jardin.
- .... observons les étoiles.
- .... parles fort.
- .... aime sa famille.

ATTENTION

Ne confonds pas la marque du **pluriel** (**-ent**) et la marque de la **2e personne du singulier** (**-es**).

3 Complète les verbes avec les bonnes terminaisons du présent.

- Tu attach....... ton chien.
- Nous chant....... dans une chorale.
- Elle articul....... bien.
- Vous présent....... votre travail.
- Ils arriv....... ce soir.
- Je m'occup....... de ton chat.

4 Conjugue les verbes au présent.

- Nous (regarder) .... la télévision.
- Tim et Tom (brosser) .... les chevaux.
- J'(appeler) .... ma mère.
- Vous (lancer) .... le ballon.
- Tu (jouer) .... aux billes.
- Mylène (planter) .... des fleurs.

5 Écris deux phrases au présent avec ces deux verbes.

- manger → ....
- conjuguer → ....

CORRIGÉS P. 7

47

CONJUGAISON

Le présent des verbes du 3e groupe

CONSEILS PARENTS
Seuls les 8 verbes de cette leçon sont au programme du CE1. N'insistez pas si votre enfant ne sait pas conjuguer un autre verbe du 3e groupe.

Les verbes du **3e groupe** se conjuguent de façon irrégulière donc il faut connaitre par cœur les plus fréquents.

pouvoir	vouloir	aller	faire
je peux, tu peux, il / elle / on peut, nous pouvons, vous pouvez, ils / elles peuvent	je veux, tu veux, il / elle / on veut, nous voulons, vous voulez, ils / elles veulent	je vais, tu vas, il / elle / on va, nous allons, vous allez, ils / elles vont	je fais, tu fais, il / elle / on fait, nous faisons, vous faites, ils / elles font
dire	**venir**	**prendre**	**voir**
je dis, tu dis, il / elle / on dit, nous disons, vous dites, ils / elles disent	je viens, tu viens, il / elle / on vient, nous venons, vous venez, ils / elles viennent	je prends, tu prends, il / elle / on prend, nous prenons, vous prenez, ils / elles prennent	je vois, tu vois, il / elle / on voit, nous voyons, vous voyez, ils / elles voient

1 Entoure les verbes du 3e groupe.

finir • venir • parler • attraper • aller • vouloir • choisir • dire • faire • pouvoir • chanter • prendre • ralentir • mentir • croire • hurler.

2 Trouve le pronom qui s'accorde avec les verbes conjugués.

- John, quand viens-............ à la maison ?
- .... veulent vendre leur maison.
- .... fait de bons biscuits au chocolat.

Identifie d'abord le verbe conjugué puis reporte-toi au tableau de la leçon.

3 Complète avec les verbes correctement conjugués au présent.

Tu (prendre) .... quoi comme dessert ? • Nous (dire) .... la bonne nouvelle. • Elle (pouvoir) .... trouver la solution. • Vous (vouloir) .... un thé ? • Je (faire) .... toujours la vaisselle. • Ils (voir) .... bien avec leurs lunettes.

4 Choisis le verbe qui convient et conjugue-le au présent.

aller • venir • prendre • faire • voir • vouloir.

• Ernest .... des bonbons. • Avec mes jumelles, je .... très loin. • Ta maman est d'accord, tu .... chez moi samedi. • Il .... très beau aujourd'hui. • Je .... au zoo de Beauval. • Demain, nous .... l'avion pour la première fois.

5 Conjugue oralement au présent à toutes les personnes.

- Prendre la vie du bon côté • Faire attention • Aller de l'avant

CORRIGÉS P. 7

48 CONJUGAISON

L'imparfait des verbes du 1er groupe

CONSEILS PARENTS

Invitez votre enfant à bien connaitre les particularités des verbes en **-ier**, **-cer** et **-ger** car ce sont les seuls verbes du 1er groupe qui présentent de vraies difficultés

L'imparfait est un temps du passé pour une action qui dure.
Les verbes se conjuguent tous comme le verbe **marcher,** sauf :

- les verbes en **-ier** comme **crier** : ils doublent le **ii** → nous cr**ii**ons, vous cr**ii**ez
- les verbes en **-cer** comme **lancer** : **ç** devant **a** → je lan**ç**ais
- les verbes en **-ger** comme **manger** : **e** après le **g** devant **a** → je mang**e**ais

marcher
je march**ais**
tu march**ais**
il / elle / on march**ait**
nous march**ions**
vous march**iez**
ils / elles march**aient**

Hier, je marchais dans la forêt

1 Entoure les verbes conjugués à l'imparfait.

je bouge • tu regardais • vous pensiez • ils plongent • nous chantions • elle accompagnait • je criais • vous mangerez • nous lancions.

2 Trouve les pronoms qui s'accordent avec les verbes conjugués.

.... grimpais sur la falaise. • .... colliez des timbres. • .... coupaient du bois. • .... tombais dans la neige. • .... rangions nos affaires. • .... charmait son entourage.

3 Souligne les phrases à l'imparfait.

- Minne regarde les étoiles. / Minne regardera les étoiles. / Minne regardait les étoiles.
- Les roses et les lilas pousseront dans le jardin. / Les roses et les lilas poussèrent dans le jardin. / Les roses et les lilas poussaient dans le jardin.
- Nous mangeons des frites. / Nous mangions des frites. / Nous mangerons des frites.
- Je campe sous la tente. / Je camperai sous la tente. / Je campais sous la tente.

Si nécessaire, ajoute un petit mot comme **hier, autrefois...** pour identifier le verbe conjugué à l'imparfait, c'est-à-dire au passé.

4 Complète les verbes avec les bonnes terminaisons de l'imparfait.

Tu attach....... ton chien. • Vous pli....... votre linge. • Je photographi....... mes amis. • Elles assist....... à une réunion. • Nous mont....... la côte. • Il jou....... aux voitures.

5 Conjugue les verbes à l'imparfait.

Tim et Tom (brosser) .... les chevaux. • J'(appeler) .... ma mère. • Vous (lancer) .... le ballon. • Tu (manger) .... de la pizza.

CORRIGÉS P. 7

CONJUGAISON

49 L'imparfait des verbes du 3e groupe

CONSEILS PAR...
Faites remarquer à ... enfant que le verbe ... possède la particu... de doubler le son « ... par **yi** : nous vo**yi**o... vous vo**yi**ez.

À l'imparfait, tous les verbes ont les mêmes terminaisons : **-ais, -ais, -ait, -ions, -iez, -aient**.
Mais parfois leur radical change au 3e groupe, donc il faut connaitre par cœur les plus fréquents.

pouvoir	vouloir	aller	faire
je pouv**ais**, tu pouv**ais**, il / elle / on pouv**ait**, nous pouv**ions**, vous pouv**iez**, ils / elles pouv**aient**	je voul**ais**, tu voul**ais**, il / elle / on voul**ait**, nous voul**ions**, vous voul**iez**, ils / elles voul**aient**	j'all**ais**, tu all**ais**, il / elle / on all**ait**, nous all**ions**, vous all**iez**, ils / elles all**aient**	je fais**ais**, tu fais**ais**, il / elle / on fais**ait**, nous fais**ions**, vous fais**iez**, ils / elles fais**aient**
dire	**venir**	**prendre**	**voir**
je dis**ais**, tu dis**ais**, il / elle / on dis**ait**, nous dis**ions**, vous dis**iez**, ils / elles dis**aient**	je ven**ais**, tu ven**ais**, il / elle / on ven**ait**, nous ven**ions**, vous ven**iez**, ils / elles ven**aient**	je pren**ais**, tu pren**ais**, il / elle / on pren**ait**, nous pren**ions**, vous pren**iez**, ils / elles pren**aient**	je voy**ais**, tu voy**ais**, il / elle / on voy**ait**, nous voy**ions**, vous voy**iez**, ils / elles voy**aient**

1 Entoure les verbes conjugués à l'imparfait.

nous voyions • elle prendra • tu naviguais • ils faisaient • tu voulais.

2 Trouve les pronoms qui s'accordent avec les verbes conjugués.

- .... allais bien ce matin.
- .... disaient que nous étions impolis.
- .... faisiez le grand ménage hier.
- .... venions vous voir.
- .... voulais aller au marché avec toi.
- .... prenait son temps pour travailler.

3 Entoure l'intrus dans chaque liste.

- nous disions – vous disiez – tu dis – ils disaient – elle disait – je disais.
- elle pouvait – tu pouvais – vous pourriez – nous pouvions – ils pouvaient.
- je fais – vous faisiez – ils faisaient – tu faisais – nous faisions – elle faisait.
- j'allais – nous allions – elles allaient – vous allez – tu allais – il allait.

Sois très vigilant(e) car l'intrus peut êt... un verbe à un autr... temps.

4 Choisis le verbe qui convient et conjugue-le à l'imparfait.

aller • dire • prendre • pouvoir.

• À cinq ans, je .... déjà faire du vélo. • Ce conte .... que le prince épousait la princesse. • Pour les vacances, Margaux et son frère .... toujours chez leurs grands-parents. • Autrefois, nous .... le bus, maintenant la voiture.

5 Conjugue les verbes à l'imparfait.

- Nous (pouvoir) .... retourner au cinéma maintenant.
- Avant tu (venir) .... tous les dimanches au foot.
- Le lapin (aller) .... par les chemins à la recherche de sa nourriture.

CORRIGÉS P. 7

50

CONJUGAISON

Le futur des verbes du 1er groupe

CONSEILS PARENTS

Expliquez à votre enfant que lorsqu'il dit : « Plus tard j'aimerais être pompier. », c'est un désir et non un futur certain, donc le verbe ne se conjugue pas au futur mais au conditionnel, temps qu'il apprendra plus tard.

Le futur exprime une action qui se passera plus tard.
Les terminaisons sont les mêmes pour tous les verbes.
Elles s'ajoutent à l'infinitif du verbe :
je **jouerai**, tu **appelleras**, elle **parlera**, nous **donnerons**, vous **collerez**, ils **grimperont**.

marcher
je marcher**ai**
tu marcher**as**
il / elle / on marcher**a**
nous marcher**ons**
vous marcher**ez**
ils / elles marcher**ont**

Demain, je marcherai dans la rue.

1 Entoure les verbes conjugués au futur.

vous couperez • tu mangeras • ils sautaient • vous percevez • je jouerai • elle jouait.

2 Trouve les pronoms qui s'accordent avec les verbes conjugués.

.... ramasseras des jonquilles. • .... présenterai mon exposé • .... câlinera son chat. • .... chercherez le trésor • .... arriverons demain. • .... regarderont un film.

3 Complète les verbes avec les terminaisons du futur.

Je planter........ des radis. • Ils passer .... la tondeuse. • Nous calmer........ les petits. • Tu t'occuper .... de mes tortues. • Elle poser........ une étagère. • Vous mélanger........ la pâte à gâteau.

4 Choisis le verbe qui convient et conjugue-le au futur.

diriger • aimer • habiller • chercher • arriver • retrouver.

- Plus tard, elle .... une grande entreprise.
- Quand j'aurais un chien, je l'...................... plus que tout !
- Quand tu .... mieux, tu .... surement ton cartable.
- Comment vous ....-vous pour le mariage ?
- Nous .... tôt dans la soirée.

ATTENTION

Ne confonds pas la 1re personne du singulier avec la terminaison **-ais** à l'imparfait et celle du futur **-ai**.

5 Conjugue les verbes au futur.

Tu (rentrer) .... par la porte et moi par la fenêtre. • Mon cousin et moi (jouer) .... aux jeux vidéo. • Roxanne et Estelle (couper) .... le pain. • Moi je (remuer) .... la salade. • Vous (manger) .... tous ensemble.

CORRIGÉS P. 7

CONJUGAISON

51 Le futur des verbes du 3e groupe

○ **CONSEILS PARENTS**
Montrez à votre enfant que le futur des verbes du 3e groupe ne s'appuie pas sur leur infinitif et qu'il faut donc les connaitre par cœur.

Au futur, tous les verbes ont les mêmes terminaisons (**-ai**, **-as**, **-a**, **-ons**, **-ez**, **-ont**) mais parfois le radical des verbes du 3e groupe change, donc il faut bien connaitre les plus fréquents.

pouvoir	vouloir	aller	faire
je pourrai, tu pourras, il / elle / on pourra, nous pourrons, vous pourrez, ils / elles pourront	je voudrai, tu voudras, il / elle / on voudra, nous voudrons, vous voudrez, ils / elles voudront	j'irai, tu iras, il / elle / on ira, nous irons, vous irez, ils / elles iront	je ferai, tu feras, il / elle / on fera, nous ferons, vous ferez, ils / elles feront
dire	**venir**	**prendre**	**voir**
je dirai, tu diras, il / elle / on dira, nous dirons, vous direz, ils / elles diront	je viendrai, tu viendras, il / elle / on viendra, nous viendrons, vous viendrez, ils / elles viendront	je prendrai, tu prendras, il / elle / on prendra, nous prendrons, vous prendrez, ils / elles prendront	je verrai, tu verras, il / elle / on verra, nous verrons, vous verrez, ils / elles verront

1 Entoure les verbes conjugués au futur.

nous verrons • vous voyez • ils viendront • tu pourras • elles faisaient • je ferai.

2 Trouve les pronoms qui s'accordent avec les verbes conjugués.

.... fera un bon infirmier plus tard. • .... prendras le bus tout seul à la rentrée. • .... viendrons pour l'apéritif vendredi soir. • .... dirai à mes parents que vous êtes passés. • .... pourrez aller en vélo à l'école. • .... iront danser dimanche.

3 Entoure l'intrus dans chaque liste.

- tu prendras – elle prendrait – vous prendrez – elles prendront – je prendrai.
- nous viendrons – tu viendras – ils viendront – vous veniez – je viendrai.
- elle voudrait – tu voudras – vous voudrez – ils voudront – je voudrai.
- je verrai – vous verrez – il verra – tu verras – nous voyons – elles verront.
- j'allais – nous irons – elles iront – vous irez – tu iras – il ira.

L'intrus est souvent conjugué à un autre temps !

4 Choisis le verbe qui convient et conjugue-le au futur.

vouloir • dire • prendre • faire • venir • pouvoir • voir • aller.

• Quand je serai grand, je .... conduire une moto. • Demain, je .... à mes amis de venir jouer. • Cet été, nous .... le bateau. • Bientôt, il .... un scooter. • Après la pluie, vous .... avec moi au jardin. • Il .... froid cette nuit. • Pendant les vacances, elles .... l'Himalaya. • En février, tu .... en classe de neige.

CORRIGÉS P. 7

CONJUGAISON

Les verbes être et avoir à tous les temps

CONSEILS PARENTS

Suivant les manuels, **être** et **avoir** peuvent être nommés des verbes, des auxiliaires, des verbes auxiliaires ou même des semi-auxiliaires.

Les verbes **être** et **avoir** appartiennent au 3e groupe.

Conjugués au présent, ils permettent de former le passé composé des autres verbes. On les appelle souvent des verbes auxiliaires.

	présent	imparfait	futur	passé composé
être	je suis, tu es, il / elle / on est, nous sommes, vous êtes, ils / elles sont	j'étais, tu étais, il / elle / on était nous étions, vous étiez, ils / elles étaient	je serai, tu seras, il / elle / on sera, nous serons, vous serez, ils / elles seront	j'ai été, tu as été, il / elle / on a été, nous avons été, vous avez été, ils / elles ont été
avoir	j'ai, tu as, il / elle / on a, nous avons, vous avez, ils / elles ont	j'avais, tu avais, il / elle / on avait, nous avions, vous aviez, ils / elles avaient	j'aurai, tu auras, il / elle / on aura, nous aurons, vous aurez, ils / elles auront	j'ai eu, tu as eu il / elle / on a eu, nous avons eu, vous avez eu, ils / elles ont eu

1 Précise à quel temps sont les verbes être et avoir : présent (PR), imparfait (IMP) ou futur (F).

je suis ...... • tu seras ...... • nous avions ...... • elle était ...... • ils auront ...... •

elles sont ..... • vous aurez ..... • tu as ..... • ils ont ..... • vous étiez ..... • je serai ......

2 Entoure l'intrus dans chaque liste.

- j'avais – nous étions – ils étaient – vous aviez – vous êtes.
- nous sommes – j'ai – tu seras – nous avons – il est.
- je serai – tu avais – j'aurai – elles seront – vous aurez.
- vous serez – ils sont – elles étaient – elle est – il avait – je suis.

3 Conjugue les verbes au temps demandé.

- Tu (avoir) .... de bonnes notes. (*futur*)
- Vous (être) .... de sacrés garnements. (*présent*)
- À l'époque, on (être) .... sûr que la Terre était plate. (*imparfait*)
- Nos adolescents (avoir) .... enfin une chambre pour eux. (*imparfait*)
- Nous (être) .... plus calmes après la récréation. (*futur*)
- Mon chien (avoir) .... un petit accident. (*passé composé*)

Conjugue dans un premier temps à voix haute puis reporte-toi au tableau de la leçon pour vérifier l'orthographe.

4 Souligne le verbe, puis donne son infinitif et le temps auquel il est conjugué.

PR = présent • IMP = imparfait • F = futur • PC = passé composé.

- Le cheval fougueux était dans l'écurie. → ...., ...
- Manu aura peur toute seule dans ce grand manoir. → ...., ...
- J'ai été contente de vous voir. → ...., ...

53

CONJUGAISON

Distinguer temps simples et temps composés

CONSEILS PAREN[...]

Donnez une phrase à votre enfant, à l'ora[l] et demandez-lui de la transformer, soit d[u] temps simple au tem[ps] composé, soit l'inver[se].

• Au présent, à l'imparfait et au futur, les verbes s'écrivent avec un seul mot dont la terminaison change. Ce sont des **temps simples.**

• Lorsqu'un verbe est conjugué avec l'auxiliaire **avoir** ou **être**, il est formé de deux mots. Ce sont des **temps composés.**

Temps simples	Temps composé
présent : je marche, je grandis, je viens…	**passé composé** : j'ai marché, j'ai grandi, je suis venu…
imparfait : je marchais, je grandissais, je venais…	
futur : je marcherai, je grandirai, je viendrai…	

1 Indique si ces verbes sont à un temps simple (TS) ou à un temps composé (TC).

nous avons trouvé ..... • il pleure ..... • tu as joué ..... • je suis allé ..... •

vous marchiez ..... • tu prendras ..... • elle est venue ..... • ils cherchent ..... •

nous grandirons ..... • vous avez caché ..... • j'ai choisi ......

2 Souligne en rouge les verbes conjugués aux temps simples et en vert les verbes conjugués au temps composé.

Ce matin, il pleut sur la campagne. La neige est tombée cette nuit mais maintenant elle commence à disparaitre. Tout est calme. Les animaux de la nuit ont disparu dans leurs logis. Cette nuit, tous étaient dehors pour observer la neige tomber à gros flocons. C'était si beau. Mais maintenant la pluie a remplacé le joli tapis blanc et les animaux sont rentrés.

Ne confonds pas le verbe **être** conjug[ué] à un temps simple e[t] l'auxiliaire **être** dans un temps composé.

3 Souligne le verbe conjugué et précise s'il est à un temps simple (TS) ou à un temps composé (TC).

• Les dinosaures ont disparu depuis longtemps. .... • Les amis reviennent de la plage après un bon après-midi. .... • J'accompagne mon frère au judo. ....

4 Entoure l'auxiliaire, souligne le participe passé et donne le verbe à l'infinitif.

• Oscar a lu ce livre. → .... • Nina est partie au ski. → .... • Le bateau est arrivé au port. → ....

5 Transforme les phrases au temps simple à un temps composé.

• Nous chantons dans une cathédrale. → ....

• Elle mangera des chocolats. → ....

• Hier, je promenais mon chien. → ....

CORRIGÉS P. 8

CONJUGAISON

54 Le passé composé des verbes du 1er groupe

CONSEILS PARENTS

Rappelez à votre enfant que le participe passé employé avec **avoir** ne s'accorde jamais avec le sujet.

Le passé composé exprime une action qui a déjà eu lieu.
Il est formé grâce à l'auxiliaire **être** ou **avoir** au **présent** + le **participe passé** du verbe en **-é**.

Avec l'auxiliaire **être**, le participe passé s'accorde en genre et en nombre avec le sujet.
Elle **est** rentr**ée**, elles **sont** rentr**ées**.

marcher	arriver
j'**ai** marché	je **suis** arrivé(e)
tu **as** marché	tu **es** arrivé(e)
il / elle / on **a** marché	il / elle / on **est** arrivé(e)
nous **avons** marché	nous **sommes** arrivés(es)
vous **avez** marché	vous **êtes** arrivés(es)
ils / elles **ont** marché	ils / elles **sont** arrivés(es)

★

1 Complète avec l'auxiliaire qui convient : être ou avoir.

- J'.............. quitté mon appartement.
- Lilou .... arrivée hier.
- Max .... raconté une histoire à dormir debout.
- Nous .... adoré les histoires de Sylvain et Sylvette.
- Cui-Cui et Chloé la tortue se .... promenés ensemble vers la chaumière.

★

2 Entoure l'auxiliaire qui convient.

As / es -tu calmé ton frère ? Et toi, as / es -tu calmé ? J'ai / suis parlé avec ta maitresse. Elle a / est raconté que tu travaillais bien. Papa et moi, nous avons / sommes rentrés fiers de toi !

Parfois, un même verbe peut se conjuguer avec l'auxiliaire **avoir** et avec l'auxiliaire **être**, mais le sens du verbe est alors un peu différent.

★

3 Conjugue les verbes au passé composé.

- Nous (arriver) .... dans le Sud.
- Ils (piloter) .... un drone.
- J' (photographier) .... la Tour Eiffel.
- Tu (manger) .... tous les bonbons.
- Vous (ramasser) .... des jonquilles.

4 Transforme ces phrases au passé composé.

- Je chante sous la douche. ....
- Vous nagez comme des dauphins. ....
- Satine et Frimousse, nos 2 chattes, rentrent trempées. ....
- Regardes-tu l'Eurovision ? ....

CORRIGÉS P. 8

55 CONJUGAISON

Le passé composé des verbes du 3e groupe

CONSEILS PARENTS
Pour aider votre enfant à mémoriser les 8 participes passés suivants, montrez-lui qu'il peut distinguer ceux composés avec **avoir** (6) de ceux composés avec **être** (2, et que **pouvoir**, **vouloi** et **voir** ont tous les troi un participe passé en -

Le passé composé exprime une action qui a déjà eu lieu.

Il est formé grâce à l'auxiliaire **être** ou **avoir** au **présent** + le **participe passé** des verbes du 3e groupe que tu dois connaitre par cœur. Avec l'auxiliaire **être**, le participe passé s'accorde en genre et en nombre avec le sujet.

pouvoir	vouloir	aller	faire
j'ai pu, tu as pu, il / elle / on a pu, nous avons pu, vous avez pu, ils / elles ont pu	j'ai voulu, tu as voulu, il / elle / on a voulu, nous avons voulu, vous avez voulu, ils / elles ont voulu	je suis allé(e), tu es allé(e), il est allé / elle est allée, nous sommes allés(es), vous êtes allés(es), ils / elles sont allés(es)	j'ai fait, tu as fait, il / elle / on a fait, nous avons fait, vous avez fait, ils / elles ont fait
dire	**venir**	**prendre**	**voir**
j'ai dit, tu as dit, il / elle / on a dit, nous avons dit, vous avez dit, ils / elles ont dit	je suis venu(e), tu es venu(e), il est venu / elle est venue, nous sommes venus(es), vous êtes venus(es), ils / elles sont venus(es)	j'ai pris, tu as pris, il / elle / on a pris, nous avons pris, vous avez pris, ils / elles ont pris	j'ai vu, tu as vu, il / elle / on a vu, nous avons vu, vous avez vu, ils / elles ont vu

1 Conjugue ces verbes du 3e groupe au passé composé.

j' (faire) .... • tu (aller) .... • il (prendre) .... • nous (faire) .... • vous (prendre) .... • elles (aller) ....

2 Entoure les verbes du 3e groupe conjugués au passé composé.

J'ai vu un renard passer. Il venait du bois et il a pris le chemin de gauche. Il est allé jusqu'à la rivière. Là, je crois qu'il a fait une drôle de danse. Peut-être voulait-il s'admirer dans l'eau. Soudain, il a eu un mouvement brusque et plouf ! dans l'eau !

3 Conjugue les verbes au passé composé.

• Jasmine, quand ....-tu .... (aller) au jardin ? • Ils (venir) .... à la maison. • J' (voir) .... un documentaire sur les ours. • Elle (prendre) .... l'autocar pour la Bretagne. • Vous (faire) .... de belles pirouettes. • Nous (pouvoir) .... apprendre notre poésie.

Rappelle-toi que c'e seulement avec l'auxiliaire **être** que le participe pas s'accorde avec le su

4 Transforme ces phrases au passé composé.

• Je vois les étoiles scintiller. ....

• Elle veut un poney pour son anniversaire. ....

• Tu dis que tu es un grand sportif. ....

CORRIGÉS P. 8

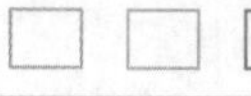

CONJUGAISON

56 Les participes passés

CONSEILS PARENTS

Rappelez à votre enfant qu'il est utile de connaitre par cœur certains participes passés.

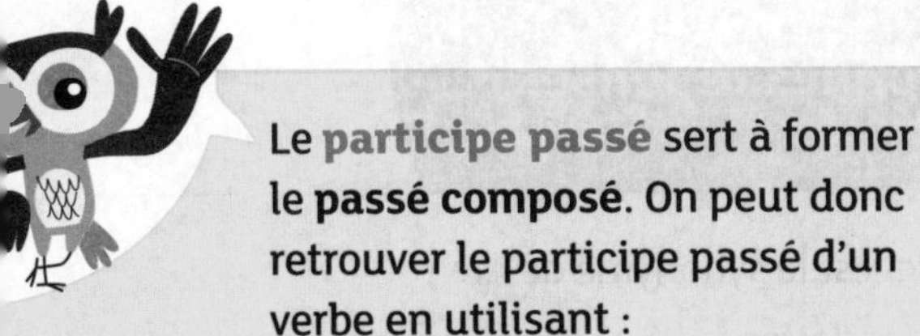
Le **participe passé** sert à former le **passé composé**. On peut donc retrouver le participe passé d'un verbe en utilisant :
« il / elle a ..... » ou « il / elle est ..... ».
bouger : il **a bougé**
venir : elle **est venue**
Avec l'auxiliaire **être**, le participe passé s'accorde avec le sujet.

Verbes en -er → participe passé en -é	il / elle **a marché** il **est arrivé** elle **est arrivée**
Verbes en -ir → participe passé en -i	il / elle **a fini** il / elle **a grandi**
Autres verbes à connaitre	il / elle **a pris** il / elle **a voulu**

1 Retrouve l'infinitif de ces verbes conjugués au passé composé.

J'ai fleuri → .... Vous avez lavé → ....
Ils ont bondi → .... Elle a frotté → ....
Tu as voulu → .... Nous avons vu → ....

2 Écris le participe passé de ces verbes à l'infinitif.

raconter → .... ajouter → ....
dire → .... faire → ....
surprendre → .... prendre → ....

3 Trouve le participe passé de ces verbes conjugués au passé composé.

- Tu as (pouvoir) .... profiter du soleil.
- Ils ont (fabriquer) .... un cerf-volant.
- John est (partir) .... dans les iles.
- Elle a (promettre) .... d'être sage.
- Vous avez (écrire) .... une lettre charmante.
- Moi, Joséphine, je suis (rester) .... infirmière.

Pour connaitre la lettre finale du participe passé d'un verbe que tu ne connais pas, utilise la formule « elle est + verbe » :
elle a condui...
→ « elle est conduite » donc on écrira : elle a conduit.

4 Transforme ces phrases au passé composé.

- Nous calculons le budget des vacances. ....
- Prends-tu ton sac pour le cours de gym ? ....
- Ils veulent prendre leur revanche. ....
- Je vais au foot mercredi. ....

CORRIGÉS P. 8

Bilan Vers le CM1…

Coche les bonnes réponses.

1 Quels sont les trois types de phrase ?

☐ déclarative / injonctive / négative
☐ déclarative / interrogative / injonctive

2 Quelle est la forme correcte de la phrase interrogative ?

☐ Veux-tu venir au cinéma demain ?
☐ Tu viens au cinéma !

3 Entoure les verbes de cette phrase.

Il a parlé de vendre sa maison cet été.

4 Quelle est la nature du sujet dans cette phrase ?
Un petit cirque s'est installé en ville.

☐ pronom personnel ☐ groupe nominal

5 Quel adjectif peux-tu rajouter au GN une scène de cinéma ?

☐ hilarante ☐ effrayant

6 De quel complément s'agit-il dans cette phrase ?
Il a bu un verre de lait.

☐ un complément circonstanciel
☐ un complément d'objet

7 Quel son fait la lettre c devant a, o, u ?

☐ « s » ☐ « k »

8 Quel est le mot correctement orthographié ?

☐ ambulance ☐ anbulance

9 Quel est le féminin de chirurgien ?

☐ chirurgie ☐ chirurgienne

10 Quel est le mot dont le pluriel est incorrect ?

☐ chevaux ☐ crapauds ☐ souriceaux

11 Quelle est la lettre finale muette du mot abrico- ?

☐ s ☐ t ☐ d

12 Quel est le féminin pluriel du GN un vieux cheval ?

☐ de vieux chevaux ☐ de vieilles juments

13 Pour ranger ces 2 auteurs dans ta bibliothèque par ordre alphabétique, lequel mettras-tu en premier ?

☐ Mourlevat ☐ Gripari

14 Quel est le synonyme de rire ?

☐ s'esclaffer ☐ rissoler

15 Quel est le contraire de prendre ?

☐ prêter ☐ donner

16 Quel est l'homonyme de chant ?

☐ champ ☐ chanson

17 Lequel de ces verbes est construit avec un préfixe ?

☐ traverser ☐ transporter

18 Quel suffixe ajouter pour trouver le nom du bébé de la cane ? ☐ -ton ☐ -teau

19 Quel est l'infinitif du verbe dans la forme conjuguée je verrai ?

☐ voir ☐ vivre

20 Quelle est la conjugaison correcte du verbe acheter au présent de l'indicatif ?

☐ ils achètes ☐ ils achètent

21 Quelle est la conjugaison correcte du verbe venir à l'imparfait de l'indicatif ?

☐ tu venais ☐ tu viendrais

22 Comment construit-on le futur des verbes du 1er groupe ?

☐ infinitif du verbe + terminaisons
☐ participe passé du verbe + terminaisons

23 Quelle est la forme correcte du passé composé du verbe être ?

☐ je suis été
☐ j'ai été

24 Quel est le participe passé du verbe faire ?

☐ fais ☐ fait

1. déclarative / interrogative / injonctive • **2.** Veux-tu venir au cinéma demain ? • **3.** a parlé – vendre • **4.** groupe nominal • **5.** hilarante • **6.** un complément d'objet • **7.** « k » - **8.** ambulance • **9.** chirurgienne • **10.** souriceaux • **11.** T • **12.** de vieilles juments • **13.** Gripari • **14.** s'esclaffer • **15.** donner • **16.** champ • **17.** transporter • **18.** -ton • **19.** voir • **20.** ils achètent • **21.** tu venais • **22.** infinitif + terminaisons • **23.** j'ai été • **24.** fait.

© Hatier, 8 rue d'Assas, 75006 Paris • 2022 • ISBN : 978-2-401-08427-8
Conception graphique : Studio Favre et Lhaïk • Édition : Imaginemos • Mise en page : STDI • Illustrations : Thomas Tessier • Chouettes : Patrick Morize.

Achevé d'imprimer en France par IPS à Pacy-sur-Eure
Dépôt légal n°08427-8/01 - Mars 2022